D1133080

Gérard Mulot pâtissier à Saint Germain des Prés

Conception graphique : Béatrice Canard Patrat
Connectez-vous sur : www.lamartiniere.fr

ISBN : 2-8307-0780-X

Gérard Mulot
(pâtissier à Saint-Germain-des-Prés)

Textes Alba Pezone
Photos Laurence Mouton

Minerva

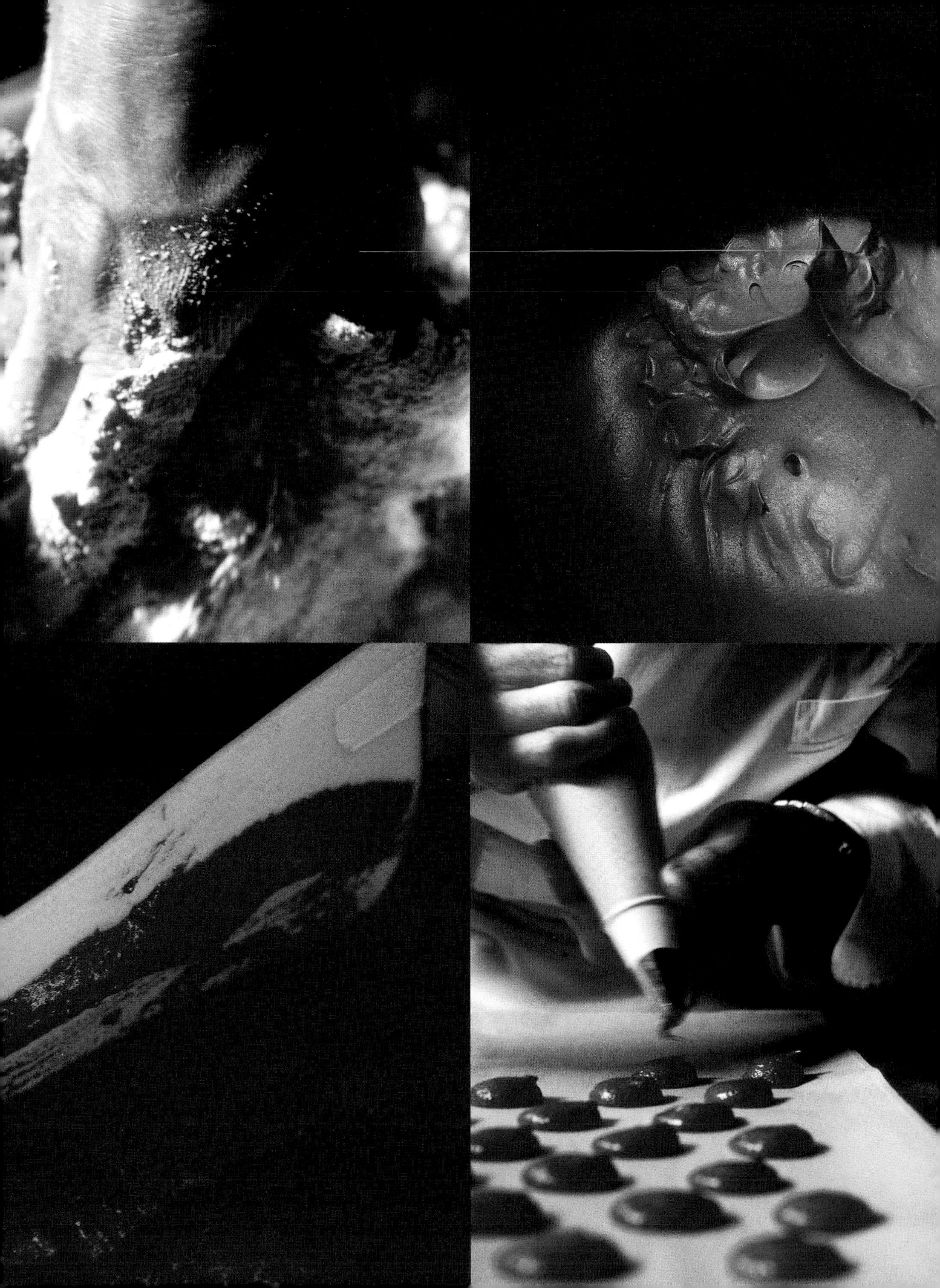

Ma première rencontre avec Gérard Mulot date d'il y a 15 ans, je venais juste d'arriver à Paris. Plus exactement, il y a 15 ans j'ai rencontré ses macarons… Je ne connaissais pas ce gâteau à la forme ronde presque parfaite : un cœur fondant à l'intérieur d'une coquille très fine et craquante. Depuis ce jour, chaque fois que l'envie d'un macaron me prenait, je connaissais l'adresse… Et si je lui ai fait des infidélités, c'est à la fois par gourmandise mais aussi pour le plaisir, plus subtil, de confirmer ma première impression : Gérard Mulot reste vraiment le roi du macaron ! Ainsi lorsque, quelques années après, avec un diplôme de pâtissière dans la poche, j'ai dû choisir le lieu de mon stage, une seule adresse : 76, rue de Seine… dans l'espoir de percer enfin le secret de ces macarons de rêve. Et si moi je peux les faire, vous aussi, vous le pouvez ! Voilà pourquoi la recette de ce dessert mythique figure dans ce livre, dont l'ambition est de vous faire partager le savoir-faire de ce pâtissier grand et généreux. Et depuis cette rencontre, je me demande si l'amaretto, ce cousin italien, plus sec et à la coque craquelée, n'est pas… un macaron raté ! Surtout, ne le répétez pas…

Alba Pezone

S

ommaire

Se faire plaisir en douceurs...

Se faire plaisir en salé !

Se faire plaisir et faire la fête

Les recettes de base

Les ustensiles

Recette facile

Recette moins facile

Recette délicate

Se faire plaisir

en douceurs...

Pour 6 personnes
Préparation la veille : 20 min
Préparation : 30 min
+ 2 h pour la pâte
Cuisson : 45 min
20 min pour les babas individuels

Matériel
1 moule à baba
(avec cheminée centrale)
de 20 cm de diamètre,
ou 8 moules individuels
1 robot pétrisseur avec crochets
1 poche et 1 douille cannelée
moyenne (pour la crème chantilly)

Ingrédients

Pâte à baba
40 g de lait entier frais
10 g de levure de boulanger
180 g de farine
1 cuillerée à café de sel
1 cuillerée à soupe bien remplie
de sucre
2 œufs
40 g de beurre à température
ambiante

Sirop à baba
50 cl d'eau
300 g de sucre
15 cl de rhum ambré
de qualité supérieure

Crème chantilly à la vanille (facultative)
20 cl de crème fleurette
1 cuillerée à soupe de sucre glace
2 gouttes d'extrait naturel de vanille

Baba au rhum

• **La veille**, préparez votre baba.

• Vous pouvez préparez la pâte avec un robot pétrisseur muni de crochets, mais aussi à la main, ce qui demande un peu plus… d'énergie ! Dans les deux cas, l'ordre d'incorporation des ingrédients ne change pas.

• Émiettez et délayez la levure dans le lait tiède.

• Dans la cuve du robot pétrisseur (ou dans un saladier, si vous préparez votre pâte à la main), mélangez la farine, les œufs, la levure délayée, le sucre, le sel. Travaillez en première vitesse jusqu'à la formation de la pâte.

• Changez alors de vitesse et pétrissez la pâte plus énergiquement pour la rendre élastique (si vous travaillez à la main, étirez la pâte sur le plan de travail). Dès que la pâte se détache des bords de la cuve (ou de vos doigts), ajoutez le beurre, coupé en petits morceaux. Travaillez la pâte pour lui redonner du corps, jusqu'à incorporation totale de la matière grasse. Arrêtez de pétrir dès que la pâte redevient lisse et souple.

• Couvrez la pâte avec un film alimentaire et laissez « pointer », c'est-à-dire lever, dans un endroit tempéré, à l'abri des courants d'air pendant une heure environ : elle doit doubler de volume.

• Au bout de ce temps de repos, « rabattez » la pâte, c'est-à-dire écrasez-la avec la paume de la main pour qu'elle retrouve son volume initial, et remplissez le grand moule à baba (ou les moules individuels), légèrement beurré, à mi-hauteur. Laissez lever la pâte encore une fois pendant une heure : elle doit doubler de volume.

• Au bout de ce temps de repos, préchauffez le four à 200 °C.
Faites cuire : les petits babas individuels 20 minutes ; jusqu'à 45 minutes la grosse pièce.

• Démouler les babas dès la sortie du four. Laissez-les rassir une nuit entière, couverts d'un torchon propre, avant de les imbiber.

• **Le lendemain**, préparez le sirop.
Dans une petite casserole, portez à ébullition l'eau et le sucre. Retirez du feu, ajoutez le rhum et laissez tiédir.

• Si vous avez préparé des petits babas individuels, vous pouvez les immerger directement dans le sirop, en vous aidant d'une écumoire.

• Si vous avez préparé une grosse pièce, posez-la sur une grille et arrosez-la avec le sirop tiède en vous aidant d'une petite louche. Si nécessaire, recommencez l'opération : le baba doit être bien imbibé. Faites-le glisser délicatement sur le plat à dessert.

• Juste avant la dégustation, aspergez le baba avec du rhum pur, très aromatique.

• Vous pouvez garnir la cheminée centrale du baba avec de la crème chantilly à la vanille. Fouettez la crème liquide en chantilly, ajoutez le sucre et la vanille. À l'aide d'une poche munie de la douille cannelée, décorez le baba avec une rosace de crème.

Secret de pâtissier. Beurrez très légèrement votre moule : un excès de beurre rend la surface du baba rugueuse et donc moins présentable !

Baba à la mandarine

Préparez votre baba en procédant exactement de la même manière. Dans le sirop d'imbibage, remplacez le rhum par la même quantité de liqueur de mandarine impériale Napoléon.
Décorez le baba avec des écorces de mandarine confite.

Beignets
(gourmands)

Pour 12 beignets
Préparation : 20 min
+ 1 h 15 pour la pâte
Cuisson : 5 min
par beignet
Matériel
1 poche
1 petite douille unie (n° 6)
Ingrédients
Pour le levain
10 cl de lait
20 g de levure de boulanger
120 g de farine
Pour la pâte à beignets
4 jaunes d'œufs
1 œuf entier
6 cuillerées à soupe de lait
1 cuillerée à café rase de sel
25 g de sucre semoule
240 g de farine
90 g de beurre
à température ambiante
Pour le bain de friture
1 litre d'huile de tournesol
Papier absorbant
Sucre glace.

• Dans un bol, préparez le levain en mélangeant le lait tiède, la levure de boulanger et la farine. Pétrissez ce pâton rapidement et laissez-le reposer une demi-heure à température ambiante pour démarrer la fermentation.

• Dans un saladier, mélangez les œufs, le lait, le sel, le sucre et la farine jusqu'à obtenir une pâte bien homogène. Incorporez le levain et, en dernier, le beurre coupé en petits morceaux. Pétrissez jusqu'à ce que la pâte retrouve son aspect lisse et sa consistance un peu molle.
Couvrez-la avec un torchon propre et laissez « pointer », c'est-à-dire doubler de volume, dans un endroit tempéré, à l'abri des courants d'air, pendant une heure.

• Au bout de ce temps de repos, divisez la pâte en 12 morceaux, faites-les rouler sur le plan de travail légèrement fariné pour les mettre en boule. Disposez ces boules sur une plaque revêtue d'une feuille de papier sulfurisé légèrement farinée, en les espaçant suffisamment pour qu'elles puissent lever correctement.

• Laissez « pointer », c'est-à-dire doubler de volume,dans un endroit tempéré, à l'abri des courants d'air (dans votre four, porte fermée, par exemple) pendant une heure environ : les beignets doivent doubler de volume.

• Dans une casserole assez profonde, préparez un bain de friture. Plongez les beignets dans l'huile chaude, faites dorer d'un côté puis retournez-les pour les faire dorer de l'autre côté.
Laissez-les refroidir sur du papier absorbant. À l'aide d'une poche munie de la petite douille, garnissez les beignets de confiture, compote, crème pâtissière ou ganache au chocolat, selon votre envie du moment.
Saupoudrez de sucre glace et dégustez aussitôt !

Pour 40 biscuits à la cuillère
Préparation : 30 min
Cuisson : 15 min
Matériel
2 plaques de cuisson superposables
1 poche et 1 douille unie n° 14
Ingrédients
7 œufs
170 g de sucre semoule
170 g farine tamisée sucre glace

- Séparez les blancs d'œufs des jaunes.
- Dans un saladier, à l'aide d'un batteur électrique, fouettez les blancs en neige ferme en ajoutant progressivement le sucre. Incorporez le dernier quart de sucre à la fin, en une seule fois, pour raffermir vos blancs.
- Préchauffez le four à 180 °C.
- Ralentissez la vitesse du batteur au minimum et ajoutez, en filet, les jaunes d'œufs battus. Dès que le mélange est homogène, arrêtez de battre.
- Avec une spatule, incorporez la farine progressivement, en soulevant délicatement les œufs

Biscuits à

Conseil. Comme toutes les préparations à base de blancs d'œufs montés (meringues, macarons, ...), les biscuits à la cuillère ne peuvent pas attendre : faites-les cuire aussitôt la préparation terminée.
De plus, pour que la cuisson soit plus douce et progressive, ils doivent cuire sur plaque doublée, surtout si votre four n'est pas un four à chaleur tournante.

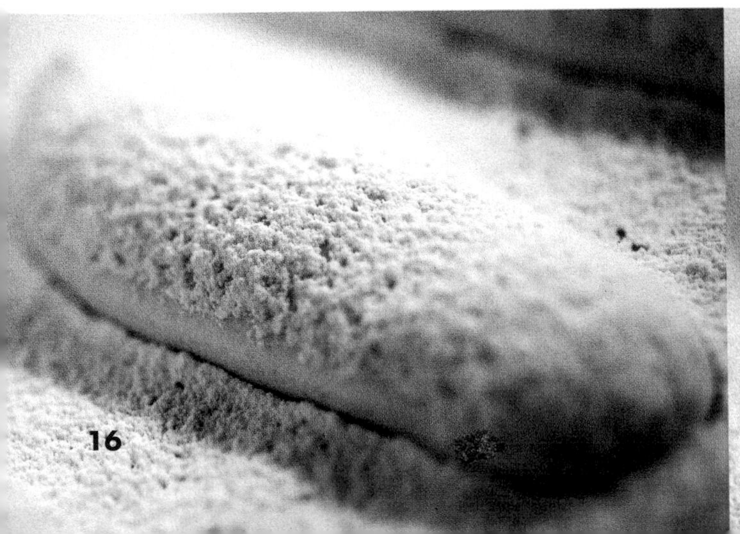

d'un mouvement circulaire.
Arrêtez de mélanger dès que la pâte est homogène.

- Dressez vos biscuits sans tarder. À l'aide d'une poche munie de la douille n°14, dressez des bâtonnets de 10-12 cm de long sur une plaque revêtue de papier sulfurisé. Laissez suffisamment d'espace entre les bâtonnets pour qu'ils puissent gonfler et cuire correctement. Saupoudrez de sucre glace, attendez 5 minutes puis saupoudrez à nouveau.

- Doublez la plaque et faites cuire 15 minutes environ : les biscuits cuillère doivent avoir une belle couleur nacrée.

- Dégustez aussitôt.

- Ces biscuits à la cuillère, légers et fondants, sont délicieux. Vous pouvez les utiliser pour accompagner une mousse au chocolat (p.104) ou pour confectionner des charlottes (p.106) et des entremets à base de fruits.

- Les biscuits à la cuillère se conservent facilement une semaine dans une boîte de métal, à l'abri de l'humidité.

la cuillère

Secret de Gérard Mulot. Pourquoi saupoudrer les biscuits à la cuillère de sucre glace, à deux reprises, juste avant la cuisson ? Pour avoir des biscuits joliment « perlés » ! À la sortie du four vos biscuits seront couverts de petites perles, très savoureuses, de sucre légèrement caramélisé.

Pour une grande brioche de 8 parts ou 10 brioches individuelles

Préparation : 30 min + 4 h de pousse pour la pâte

Cuisson : 45 min (15 min pour les petites)

Matériel

1 robot pétrisseur
1 moule à brioche cannelé de 22 cm de diamètre
ou 10 petits moules cannelés
ou 1 moule à cake de 24 cm
1 pinceau pour dorer

Ingrédients

10 g de levure
4 œufs
30 g de sucre
1 cuillerée à café de sel
300 g de farine type 45
6 cuillerées à soupe de lait
200 g de beurre à température ambiante
1 œuf battu pour dorer les brioches
Grains de sucre (facultatif)

Brioche (traditionnelle)

• Si vous utilisez un robot pétrisseur :
Dans un petit bol, émiettez et délayez la levure dans le lait tiède. Dans la cuve du robot pétrisseur, mélangez les œufs, la levure, le sucre et le sel.

• Incorporez la farine en faisant tourner le robot à petite vitesse pour bien étirer la pâte sans la chauffer. Ce travail d'étirement favorise la multiplication des levures et l'allongement du gluten : votre pâte sera lisse et élastique. Passez le robot à la vitesse supérieure et incorporez le beurre coupé en petits morceaux. Arrêtez de pétrir dès que la pâte se détache des parois de la cuve.

• Si vous faites votre pâte « à la main » :
Sur le plan de travail, formez une fontaine avec la farine. Ajoutez la levure émiettée et délayée dans le lait tiède. Incorporez un peu de farine (pour isoler la levure), avant d'ajouter le sel et le sucre. Incorporez les œufs du bout des doigts, puis travaillez la pâte plus énergiquement en l'étirant : soulevez-la du plan de travail puis faites-la retomber, recommencez une dizaine de fois. Arrêtez de travailler dès que la pâte ne colle plus ni au plan de travail, ni à vos doigts. Incorporez le beurre coupé en petits morceaux, en travaillant rapidement. Arrêtez dès que la pâte retrouve sa texture lisse et homogène.

• Mettez la pâte en boule en la faisant rouler sur le plan de travail légèrement fariné. Couvrez avec un torchon propre et laissez « pointer », c'est-à-dire doubler de volume, dans un endroit tempéré, à l'abri des courants d'air pendant 1 heure environ.

• Au bout de ce temps de repos, « rabattez » la pâte : écrasez-la avec la paume de la main pour qu'elle se dégonfle et reprenne son volume initial. Protégez-la avec un film alimentaire et faites-la reposer au réfrigérateur, pendant 2 heures pour un deuxième « pointage » contrôlé.

• À ce stade de la préparation, vous pouvez utiliser votre pâte immédiatement, ou bien la laisser au réfrigérateur et préparer votre brioche le lendemain. Dans tous les cas, le dernier pointage doit avoir lieu dans le moule de cuisson.

• Si vous voulez préparer une grosse brioche à tête, divisez la pâte en deux morceaux :
1/3 pour la tête, 2/3 pour le corps. Faites rouler le plus gros morceau sur le plan de travail légèrement fariné pour façonner une boule que vous déposerez dans le moule à brioche cannelé beurré.
Façonnez la tête de la brioche, en forme de poire, avec le reste de pâte.
Avec vos doigts farinés, faites un trou au milieu de la boule et écartez légèrement les bords pour y glisser la tête de la brioche, côté pointu vers le bas. Placez la tête bien au milieu en l'enfonçant dans le corps de la brioche avec vos doigts.

• Vous pouvez également confectionner une brioche Nanterre en utilisant un moule à cake. Divisez alors la pâte en quatre morceaux avec lesquels vous façonnerez des boules légèrement allongées. Placez-les dans le moule verticalement, bien serrées les unes contre les autres.

• Si vous voulez préparer plusieurs petites brioches individuelles, divisez la pâte en 10 morceaux que vous mettrez en boule en les faisant rouler sur le plan de travail légèrement fariné. Déposez-les dans les moules cannelés beurrés.

• Quel que soit le moule que vous utilisez, remplissez-le à mi-hauteur et faites pousser la pâte une dernière fois à température ambiante pendant 1 heure encore : elle doit doubler de volume.

• Préchauffez le four à 180° C pour les grosses pièces, et à 220 °C pour les petites pièces.

• Juste avant la cuisson, à l'aide d'un pinceau, dorez vos brioches avec l'œuf battu.
Entaillez le dessus des grosses pièces avec une paire de ciseaux trempés dans l'eau : des entailles sur le pourtour de la grosse brioche à tête ; des entailles en croix sur chaque boule de la brioche Nanterre.
Décorez les petites pièces avec des grains de sucre (facultatif).

• Faites cuire les petites brioches 10-15 minutes ; jusqu'à 40-45 minutes les plus grandes.

Petits pains (briochés)

Pour 8-10 petits pains
Préparation : 30 min
+ 4 h pour la pâte
Cuisson : 30 min
Matériel
1 batteur avec crochets
1 pinceau
Pâte à brioche
(p.18)
250 g de crème pâtissière à la vanille
(p.165)
120 g de pépites de chocolat
1 œuf

• Préparez la pâte à brioche.

• Dès que la pâte se détache des parois et du fond du récipient, couvrez-la avec un torchon propre et laissez « pointer », c'est-à-dire doubler de volume, dans un endroit tempéré, à l'abri des courants d'air, pendant une heure.

• « Rabattez » la pâte, c'est-à-dire écrasez-la avec la main pour qu'elle se dégonfle et reprenne son volume initial. Rangez-la au réfrigérateur pendant une heure pour un deuxième « pointage » contrôlé.

• Pendant ce temps, préparez la crème pâtissière à la vanille.

• À la sortie du réfrigérateur, étalez la pâte sur le plan de travail légèrement fariné, en un rectangle de 32 cm x 16 cm, le côté le plus long devant vous.

• Étalez la crème pâtissière, saupoudrez de pépites de chocolat sur la moitié inférieure du rectangle. Refermez la partie supérieure sur la moitié garnie de chocolat de manière à obtenir une bande de 32 cm x 8 cm.

• Avec un couteau bien aiguisé, pour ne pas déchirer la pâte, détaillez 8 petits pains de 4 cm x 8 cm. Posez-les sur une plaque de cuisson revêtue de papier sulfurisé. Couvrez d'un torchon propre et laissez lever une dernière fois à température ambiante (à l'intérieur du four, porte fermée, par exemple), pendant une heure encore : les petits pains doivent doubler de volume.

• Sortez la plaque du four et préchauffez-le à 200 °C.

• Juste avant la cuisson, dorez au pinceau les petits pains avec l'œuf battu en faisant attention de ne pas faire couler la dorure. Faites cuire 30 minutes environ, jusqu'à une coloration joliment dorée. Sortez la plaque du four, laissez refroidir avant de décoller les petits pains du papier sulfurisé.

• Dégustez aussitôt : les viennoiseries sont toujours meilleurs à la sortie du four !

Cake

(aux fruits confits et au gingembre)

Pour 8 personnes
Préparation : 20 min
Cuisson : 45-50 min
Matériel
1 moule à cake de 24 cm
Ingrédients
80 g de raisins de Corinthe
80 g de raisins secs de Smyrne
155 g de beurre à température ambiante
160 g de sucre glace
3 œufs
240 g de farine
1 sachet de levure chimique
Zeste de 1 orange
Zeste de 1 citron
Rhum ambré
100 g d'abricots confits
15 g de gingembre confit
Cerises confites pour le décor

• Préchauffez le four à 150 °C.

• Faites macérer les raisins dans le rhum. Coupez les abricots en petits dés, hachez le gingembre.

• Dans un saladier, travaillez le beurre à la spatule pour l'assouplir jusqu'à obtenir une consistance « pommade ». Incorporez le sucre glace, deux œufs et la moitié de la farine. Lorsque le mélange est homogène, incorporez le troisième œuf, le reste de la farine, la levure chimique, les raisins secs égouttés (gardez l'alcool de la macération), les zestes d'orange et de citron, les abricots et le gingembre. Mélangez bien, sans jamais faire mousser la pâte (si vous utilisez un batteur électrique, réglez-le en petite vitesse), jusqu'à obtenir une pâte bien lisse.

• Remplissez le moule, beurré et fariné, aux 2/3. Placez les cerises confites coupées en deux sur la diagonale du cake. Faites cuire 45-50 minutes environ. Vérifiez la cuisson en introduisant dans le cake la lame d'un couteau, qui doit ressortir sèche.

• À la sortie du four, au pinceau, arrosez le cake avec le rhum qui a servi à la macération des raisins secs. Laissez refroidir complètement avant de démouler.

• À déguster aussitôt, le lendemain ou 3 jours après ! En effet, vous pouvez conserver ce cake plusieurs jours, enveloppé dans un film alimentaire, dans un endroit frais.

Secret de Gérard Mulot. Gérard Mulot prépare tous ses cakes en deux temps : la veille, il prépare une pâte avec la moitié des ingrédients (y compris la moitié de la levure chimique mais sans les zestes, qui sont incorporés le deuxième jour) qu'il laisse reposer toute la nuit au réfrigérateur pour démarrer la fermentation. Le lendemain, il prépare une deuxième pâte avec le reste des ingrédients, il assemble les deux préparations et fait cuire le cake. Si vous avez le temps, faites comme lui : l'arrondi de votre cake sera digne d'un vrai pâtissier !

Cake

(aux poires et aux marrons)

Pour 8 personnes
Préparation : 20 min
Cuisson : 45-50 min
Matériel
1 moule à cake de 24 cm
Ingrédients
100 g de marrons confits
100 g de poires au sirop
50 g de cognac (ou d'armagnac)
180 g de beurre à température ambiante
150 g de sucre semoule
4 œufs
150 g de farine
1 sachet de levure chimique
10 g de cacao en poudre

• Préchauffez le four à 150 °C.

• Faites macérer les marrons confits dans le cognac.

• Dans une poêle, faites revenir les poires coupées en petits dés avec 1 ou 2 cuillerées à soupe de sirop de marrons. Flambez au cognac.

• Dans un saladier, travaillez le beurre à la spatule pour l'assouplir jusqu'à obtenir une consistance « pommade ». Incorporez le sucre, puis la moitié des œufs et de la farine. Lorsque le mélange est homogène, incorporez le reste des œufs et de la farine, la levure chimique et le cacao (qui donnera sa belle couleur marron au cake). Mélangez bien, sans jamais faire mousser la pâte (si vous utilisez un batteur électrique, réglez-le en petite vitesse), jusqu'à obtenir un mélange bien lisse.

• Égouttez les marrons et réservez l'alcool de la macération. Incorporez délicatement les marrons entiers et les dés de poire à la pâte à cake. Remplissez le moule, beurré et fariné, aux 2/3 et faites cuire 45-50 minutes environ. Vérifiez la cuisson en introduisant dans le cake la lame d'un couteau, qui doit ressortir sèche.

• À la sortie du four, arrosez le cake avec l'alcool de la macération. Laissez refroidir complètement avant de démouler.

• À déguster aussitôt, le lendemain ou 3 jours après !
En effet, vous pouvez conserver ce cake plusieurs jours, enveloppé dans un film alimentaire, dans un endroit frais.

Cake

(au citron)

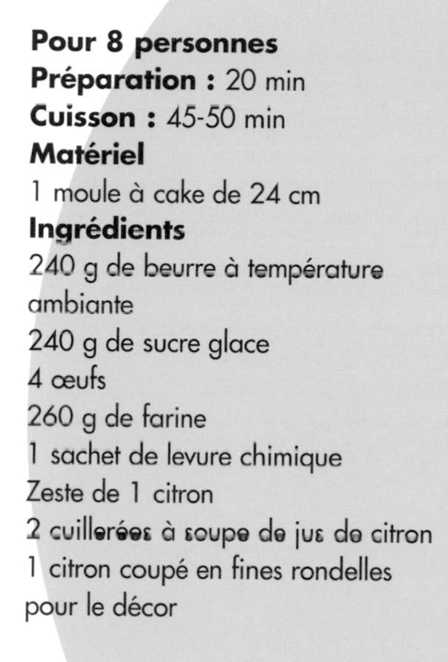

Pour 8 personnes
Préparation : 20 min
Cuisson : 45-50 min
Matériel
1 moule à cake de 24 cm
Ingrédients
240 g de beurre à température ambiante
240 g de sucre glace
4 œufs
260 g de farine
1 sachet de levure chimique
Zeste de 1 citron
2 cuillerées à soupe de jus de citron
1 citron coupé en fines rondelles pour le décor

• Préchauffez le four à 150 °C.

• Zestez le citron. Dans un saladier, travaillez le beurre à la spatule pour l'assouplir jusqu'à obtenir une consistance « pommade ». Incorporez le sucre glace, deux œufs et la moitié de la farine. Lorsque le mélange est homogène, incorporez le reste des œufs et de la farine, la levure chimique, le jus et le zeste du citron. Mélangez bien, sans jamais faire mousser la pâte (si vous utilisez un batteur électrique, réglez-le en petite vitesse), jusqu'à obtenir une pâte bien lisse.

• Remplissez le moule, beurré et fariné, aux 2/3. Faites cuire 45-50 minutes environ. Dix minutes avant la fin de la cuisson, placez les rondelles de citron sur la diagonale du cake pour le décorer. Vérifiez la cuisson en introduisant dans le cake la lame d'un couteau, qui doit ressortir sèche.

• Sortez le cake du four et laissez-le refroidir complètement avant de le démouler.

• À déguster aussitôt, le lendemain ou 3 jours après !
En effet, vous pouvez conserver ce cake plusieurs jours, enveloppé dans un film alimentaire, dans un endroit frais.

Cannelés
(de Bordeaux)

Pour 12 cannelés
Préparation : 20 minutes
Cuisson : 1 h 30
Matériel
12 moules à cannelés
1 pinceau
Ingrédients
50 cl de lait frais entier
250 g de sucre semoule
1 gousse de vanille
50 g de beurre
175 g de farine
2 jaunes d'œufs
3 cuillerées à soupe de rhum
Beurre fondu pour les moules

- Préchauffez le four à 200 °C.
- Dans une casserole, portez à ébullition le lait avec le sucre, la vanille fendue et grattée et le beurre. Laissez refroidir, puis retirez la gousse de vanille.
- Dans le lait complètement refroidi, ajoutez progressivement la farine, les jaunes d'œufs et le rhum. Mélangez bien, jusqu'à obtenir une pâte souple et sans grumeaux.
- Beurrez les moules soigneusement, au pinceau, avec du beurre fondu. Attendez 2-3 minutes, puis beurrez à nouveau.
- En vous aidant d'une petite louche, versez la pâte dans les moules.
- Faites cuire pendant 1 heure 30 environ. Cette cuisson longue est nécessaire à la caramélisation de la croûte des cannelés, qui fait leur goût si caractéristique.
- Démoulez les cannelés dès la sortie du four. Laissez-les tiédir ou complètement refroidir, selon votre goût, avant de les déguster.

Conseil. Dégustez les cannelés le jour même car, une fois cuits, ils perdent très vite leur fragrance.
Par contre, vous pouvez préparer la pâte à l'avance et la conserver au réfrigérateur (1 ou 2 jours) avant de l'utiliser.

Cannelier

Pour 6 personnes
Préparation : 30 min
+ 1 h 30 pour la pâte
Cuisson : 25 min
à préparer la veille
Matériel
6 verres de 8 cm de diamètre
Ingrédients
Coulis de groseilles et framboises
150 g de purée de groseilles surgelées
50 g de purée de framboises surgelées
1 cuillerée à soupe de sucre semoule
2 g de gélatine
Crème légère à la cannelle
10 cl de lait entier frais
1 cuillerée à café de cannelle en poudre
25 cl de crème fleurette
4 jaunes d'œufs
65 g de sucre semoule
4 g de gélatine
120 g de pâte sablée vergeoise (p.177)
Groseilles pour décorer

• **La veille**, préparer le coulis de groseilles et framboises.
Faites tremper les feuilles de gélatine dans l'eau froide.
Faites chauffer doucement les deux purées avec le sucre. Retirez du feu et incorporez la gélatine essorée. Mélangez bien pour faciliter l'incorporation et obtenir un coulis bien homogène. Repartissez le coulis dans les verres.
Réservez-les au réfrigérateur au moins 2 heures pour laisser durcir le coulis.

• Préparez la crème légère à la cannelle.
Faites tremper les feuilles de gélatine dans l'eau froide. Portez le lait à ébullition avec la cannelle. Laissez infuser quelques minutes avant d'ajouter 10 cl de crème fleurette.
Dans un bol, travaillez les jaunes d'œufs avec le sucre. Versez progressivement le lait encore chaud sur les jaunes tout en mélangeant. Remettez dans la casserole et faites cuire la crème à feu doux, sans cesser de remuer, jusqu'à ce qu'elle devienne onctueuse et « nappe » la spatule : trempez la spatule dans la crème, et avec votre index, faites un trait qui doit rester visible. En aucun cas, la crème ne doit bouillir.
Retirez du feu, incorporez les feuilles de gélatine essorées tout en mélangeant pour faciliter l'incorporation. Laissez tiédir.
Pendant ce temps, fouettez le reste de crème fleurette en chantilly mousseuse.
Incorporez-la à la crème à la cannelle avec une spatule, en soulevant délicatement la masse d'un mouvement circulaire.

• Sans tarder, avec une petite louche, répartissez cette crème dans les verres.
Parsemez de framboises. Couvrez avec un film alimentaire et laissez durcir au réfrigérateur toute la nuit.

• **Le lendemain**, préparez la pâte sablée vergeoise. Roulez la pâte en boule, enveloppez-la dans un film alimentaire et laissez-la reposer 1 heure au réfrigérateur.

• Au bout de ce temps de repos, sur le plan de travail légèrement fariné, étalez la pâte sur une épaisseur de 2-3 mm.
Découpez 6 disques à l'aide d'un verre retourné.
Réservez-les au réfrigérateur au moins une demi-heure pour éviter que la pâte ne se rétracte à la cuisson.

• Préchauffez le four à 200 °C. Faites cuire les disques de pâte pendant 15 minutes environ, sans coloration. Laissez refroidir.

• Au moment de la dégustation, disposez un sablé sur chaque verre.
Décorez avec des groseilles, dégustez aussitôt.

Petite histoire. Chez Gérard Mulot, le cannelier est en réalité un entremet assez difficile à réaliser. Ici, la présentation en verre permet de simplifier la préparation et le montage de ce dessert sans trop de difficultés !

Charlotte
(aux framboises)

Pour 6 personnes
Préparation : 45 min
+ 5 h au réfrigérateur
Cuisson : 10 min
Matériel
1 moule à charlotte de 22 cm de diamètre
20 biscuits à la cuillère
(recette p.16)
Ingrédients
Crème aux framboises
200 g de purée de framboises surgelée
(sinon, 250 g de framboises broyées et passées au tamis fin)
150 g de sucre
8 g de gélatine
30 cl de crème fleurette
Sirop à la framboise
40 g de sucre
5 cuillerées à soupe d'eau
30 g de purée de framboises surgelées (ou 40 g de framboises broyées et passées au tamis fin)
2 cuillerées à soupe d'eau-de-vie de framboises
1 barquette de fruits rouges et Quelques feuilles de menthe pour le décor

• Réservez la crème liquide au réfrigérateur pour qu'elle soit bien froide au moment où vous la fouettez.

• Préparez le sirop à la framboise qui servira à imbiber les biscuits. Dans une petite casserole, faites bouillir l'eau et le sucre pendant une minute. Laissez refroidir complètement avant d'ajouter la purée et l'alcool de framboises. Réservez.

• Préparez la crème aux framboises. Faites tremper les feuilles de gélatine dans l'eau froide. Dans un petit saladier, mélangez le sucre à la purée de framboises. Dans une petite casserole, chauffez la moitié de cette purée sucrée. Retirez du feu, incorporez les feuilles de gélatine essorées, tout en mélangeant pour faciliter l'incorporation. Versez le contenu de la casserole dans le reste de la purée de framboises. Travaillez à la spatule pour obtenir un mélange bien homogène. Fouettez la crème liquide en chantilly ferme. Avec la spatule, incorporez-la à la purée gélifiée en deux fois : 1/3 pour commencer, puis les 2/3 restants. Cette précaution vous permettra d'obtenir une crème sans grumeaux et bien aérée.

• Montez votre charlotte. Filmez le moule : cela facilitera le démoulage. Tapissez les bords du moule de biscuits à la cuillère bien serrés les uns contre les autres mais sans chevauchement, puis tapissez le fond du moule. Imbibez les biscuits avec le sirop à la framboise. Remplissez le moule, à hauteur des biscuits, avec la crème de framboises parsemée de framboises entières. Tapotez le moule pour lisser la surface de la charlotte. Recouvrez d'un film alimentaire et réservez au réfrigérateur (au moins 5 heures) pour laisser durcir la crème.

• Au moment de la dégustation, retournez le moule sur le plat de service, décorez avec des fruits rouges et des feuilles de menthe. Dégustez aussitôt.

Conseil. Vous pouvez accompagner cette charlotte d'un coulis de framboises (recette p.168).

Charlotte
(aux fraises des bois)

Crème à la vanille
30 cl de lait frais entier
1 gousse de vanille
50 g de sucre semoule
4 jaunes d'œufs
8 g de gélatine
20 cl de crème fleurette

Procédez comme pour la charlotte aux framboises, mais remplacez la crème aux framboises par une crème à la vanille. Dans le sirop d'imbibage, la purée et la liqueur de fraises remplacent la purée et la liqueur de framboises.

- Faites tremper les feuilles de gélatine dans l'eau froide.
- Portez à ébullition le lait avec 1 cuillerée à soupe de sucre et la vanille fendue et grattée.
- Fouettez les jaunes d'œufs avec le reste du sucre. Ajoutez le lait encore chaud, mélangez bien. Remettez dans la casserole et faites cuire la crème à feu doux, sans cesser de remuer, jusqu'à ce qu'elle devienne onctueuse et « nappe » la spatule : trempez la spatule dans la crème et, avec votre index, faites un trait qui doit rester visible. En aucun cas, la crème ne doit bouillir. Retirez du feu, incorporez les feuilles de gélatine essorées tout en mélangeant pour faciliter l'incorporation.
- Laissez tiédir avant d'incorporer délicatement la crème fouettée ferme.

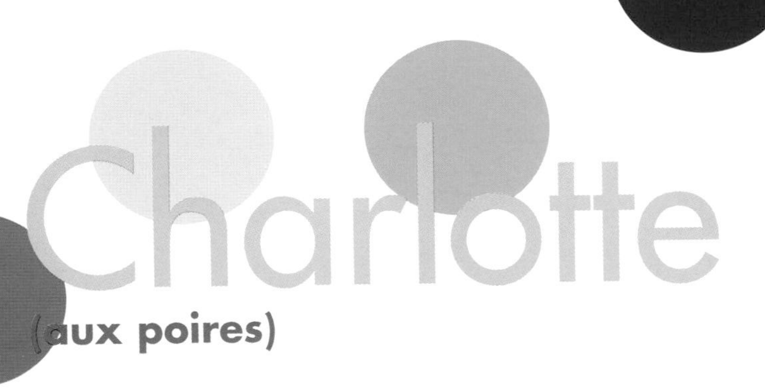

Charlotte
(aux poires)

Procédez comme pour la charlotte aux framboises mais remplacez la crème aux framboises par une crème aux poires préparée de la même manière et avec les mêmes quantités de fruits. Dans le sirop d'imbibage, la purée de poire et l'eau-de-vie de poire william remplacent la purée et la liqueur de framboises. Vous pouvez accompagner cette charlotte au goût très délicat d'un coulis de framboises.

Petits choux

(aux grains de sucre)

Pour 35 chouquettes
Préparation : 15 min
Cuisson : 20-25 min
Matériel
1 poche à douille
1 douille unie n° 10
Ingrédients
200 g de pâte à choux
préparée à partir de 100 g de lait
(recette p.170)
Sucre en grains pour le décor

• Préchauffez le four à 200 °C.

• Préparez la pâte à choux.
À l'aide d'une poche munie d'une douille n° 10 dressez des petits choux d'environ 3 cm de diamètre sur une plaque revêtue de papier sulfurisé en laissant suffisamment d'espace entre les choux pour qu'ils puissent gonfler et cuire correctement. Saupoudrez de sucre en grains.

• Faites cuire les chouquettes 20 minutes environ. Après 10 minutes de cuisson, entrouvrez la porte du four pour permettre à la vapeur de s'échapper et à la pâte de bien sécher.

• La cuisson terminée, sortez la plaque du four et laissez les chouquettes refroidir avant de les décoller du papier cuisson.

• Ne résistez pas à la gourmandise : dégustez aussitôt, à peine tièdes. C'est à ce moment précis que les chouquettes sont irrésistibles et au mieux de leur goût !

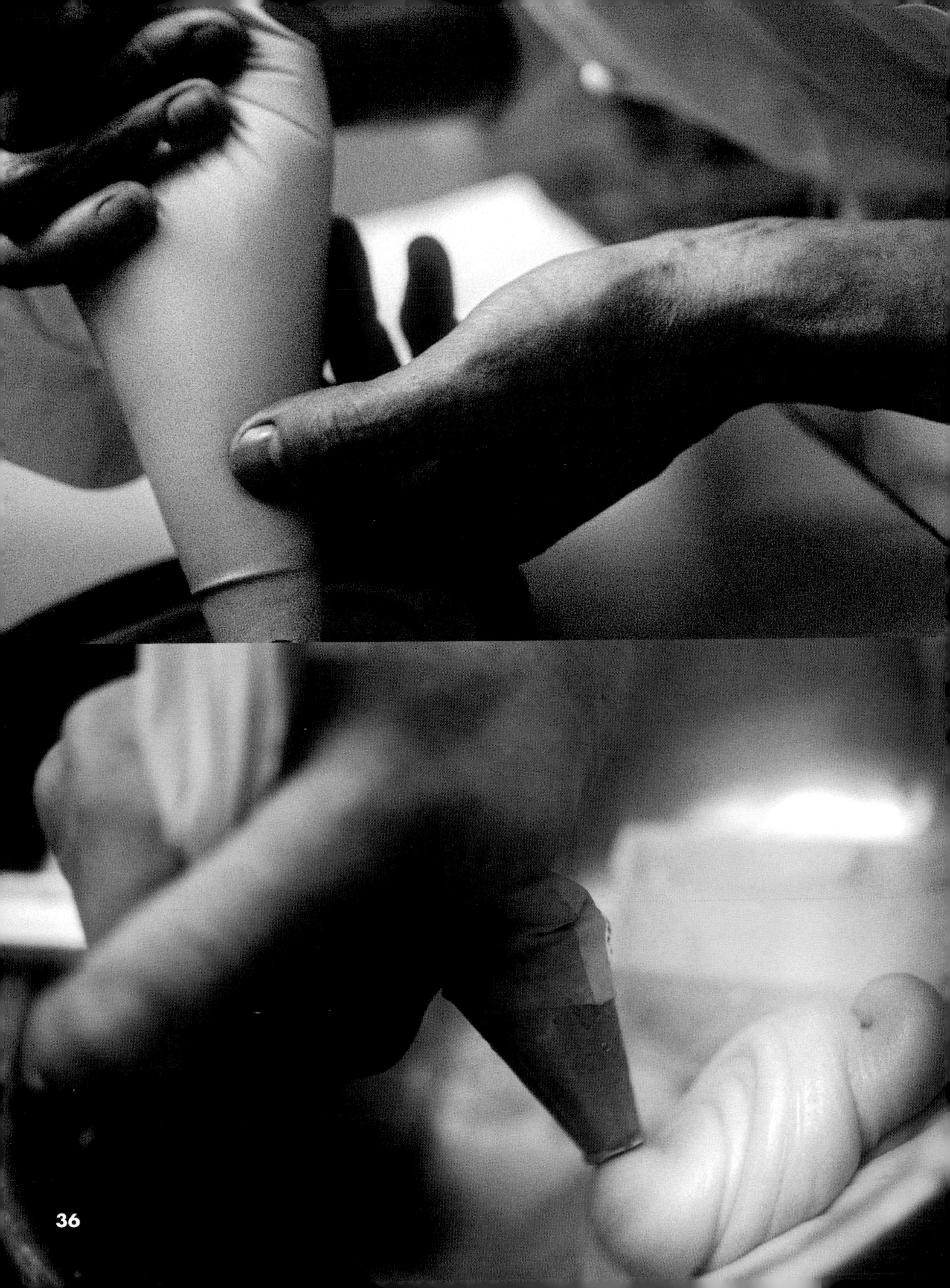

Choux

(à la crème chantilly)

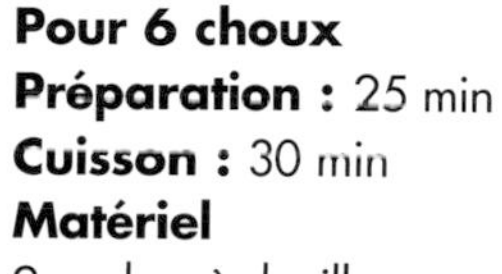

Pour 6 choux
Préparation : 25 min
Cuisson : 30 min
Matériel
2 poches à douille
1 douille unie n° 14
1 douille cannelée de taille moyenne
Ingrédients
250 g de pâte à choux
préparée à partir de 125 g de lait (recette p.170)
Crème chantilly
35 cl de crème fleurette
25 g de sucre glace
1 cuillerée à café d'extrait naturel de vanille liquide
Sucre glace

• Préchauffez le four à 200 °C.

• Préparez la pâte à choux.
À l'aide d'une poche munie de la douille n°14 dressez 6 gros choux de 5 cm de diamètre (environ 40 g de pâte chacun) sur une plaque revêtue de papier sulfurisé. Laissez suffisamment d'espace entre les choux pour qu'ils puissent gonfler et cuire correctement.

• Faites cuire aussitôt, pendant 30 minutes environ.
Après 10 minutes de cuisson, entrouvrez la porte du four pour permettre à la vapeur de s'échapper et à la pâte de bien sécher.

• La cuisson terminée, laissez les choux refroidir avant de les décoller du papier cuisson. Avec un couteau-scie, coupez la partie supérieure des choux au 2/3 de la hauteur.

• Préparez la crème chantilly.
Dans un bol, fouettez la crème froide avec le sucre glace et la vanille jusqu'à obtenir une chantilly bien ferme. À l'aide d'une poche munie de la douille cannelée garnissez les choux en laissant dépasser le crème d'un bon centimètre.
• Recouvrez les choux de leur petit chapeau, saupoudrez de sucre glace et dégustez aussitôt.

Secret de Gérard Mulot. Dans toutes les recettes à base de pâte à choux, on vous recommande de dorer les choux et de les quadriller avec le dos d'une fourchette avant de les faire cuire, pour que leur développement soir plus régulier. Avec la recette de pâte à choux de Gérard Mulot, pas besoin de ça : vos choux seront parfaits sans dorure ni quadrillage !
Voilà deux petites opérations en moins…

Clafoutis

(aux griottes)

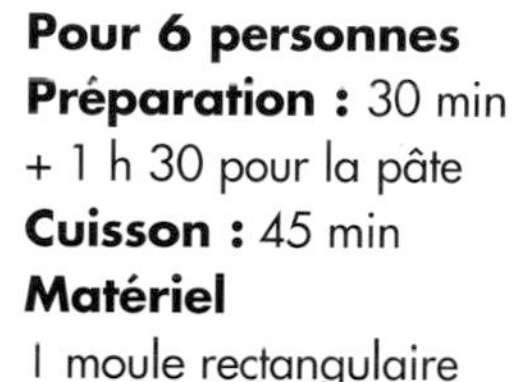

Pour 6 personnes
Préparation : 30 min
+ 1 h 30 pour la pâte
Cuisson : 45 min
Matériel
1 moule rectangulaire
de 20 cm x 30 cm
Ingrédients
300 g de pâte
sablée aux amandes
(recette p. 177)
250 g de crème fraîche épaisse
80 g de sucre semoule
1 cuillerée à soupe
bien remplie de sucre vanillé
4 œufs
500 g de griottes dénoyautées
surgelées

• Préparez la pâte sablée aux amandes.
Roulez la pâte en boule, enveloppez-la dans un film alimentaire et laissez-la reposer une heure au réfrigérateur.

• Au bout de ce temps de repos, sur le plan de travail légèrement fariné, étalez la pâte finement sur 2-3 mm d'épaisseur et garnissez le moule beurré en réalisant un bord de 2 cm.
Parez le pourtour, piquez le fond avec une fourchette et réservez au réfrigérateur au moins 1 heure 30 pour éviter que la pâte ne se rétracte à la cuisson.

• Préchauffez le four à 200 °C.

• Sortez le moule du réfrigérateur, protégez le fond avec une feuille de papier sulfurisé rempli à hauteur de haricots secs et faites cuire pendant 15 minutes, jusqu'à une légère coloration blonde.
Sortez le moule du four, retirez le papier sulfurisé et laissez refroidir sans démouler. N'éteignez pas le four.

• Pendant ce temps, dans un bol mélangez la crème fraîche, le sucre semoule, le sucre vanillé et les œufs. Repartissez les griottes encore surgelées sur le fond sablé, couvrez avec la préparation liquide et faites cuire pendant 30 minutes environ : la crème doit être prise.

• Laissez le clafoutis refroidir complètement avant de le démouler ou de le découper.

• Le clafoutis est un gâteau « du jour » qui ne peut pas attendre le lendemain : à déguster sans tarder !

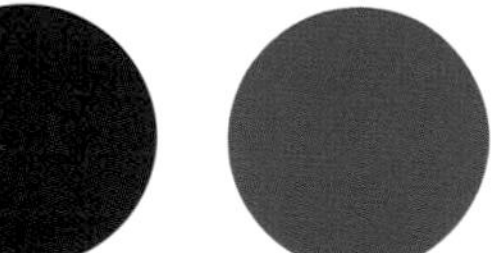

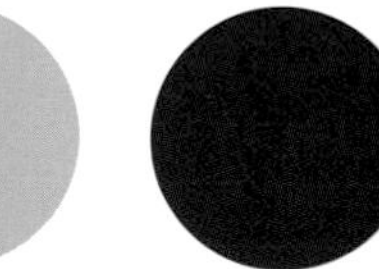

Secret de Gérard Mulot. Les fruits rouges supportent mal la cuisson. C'est la raison pour laquelle Gérard Mulot vous conseille de les incorporer encore surgelés, pour qu'ils puissent dégeler, et non pas cuire, pendant la cuisson du clafoutis. Au moment de la dégustation, les griottes seront encore bien juteuses et auront gardé tout leur goût acidulé qui a fait la réputation du clafoutis de Gérard Mulot !

Clafoutis (aux fruits rouges)

Sur le même fond sablé précuit, disposez 400 g de fruits rouges mélangés et surgelés (myrtilles, cassis, groseilles, framboises…) et 100 g de griottes surgelées. Couvrez avec l'appareil à clafoutis auquel vous aurez ajouté 20 g de pâte de pistaches. Faites cuire 45 minutes environ.

Clafoutis (à la rhubarbe)

Remplacez les griottes par 500 g de rhubarbe fraîche. Pelez et coupez les tiges en tronçons de 2,5 cm (pas trop petits, car la rhubarbe doit rester visible après cuisson) que vous ferez poêler avec 40 g de beurre, 80 g de sucre, 1 cuillerée à soupe de sucre vanillé et 1 cuillerée à café de miel. Laissez refroidir. Repartissez la rhubarbe sur le fond sablé précuit, couvrez avec l'appareil à clafoutis et faites cuire 45 minutes environ.

Clafoutis (aux pêches)

Remplacez les griottes par 5 pêches mûres mais encore fermes. Coupez les fruits en gros quartiers (6 ou 8 selon la taille de vos fruits), que vous ferez poêler avec 40 g de beurre, 80 g de sucre, 1 cuillerée à soupe de sucre vanillé et 1 cuillerée à café de miel. Laissez refroidir. Repartissez les quartiers de pêche sur le fond sablé précuit, agrémentez de griottes surgelées.
Couvrez avec l'appareil à clafoutis et faites cuire 45 minutes environ.

Crème brûlée

Pour 6 personnes
Préparation : 15 min
Cuisson : 45 min
Matériel
6 moules individuels en terre cuite
1 fer à caraméliser
(ou 1 petit chalumeau)
Ingrédients
35 cl de crème fleurette
120 g de lait frais entier
1 gousse de vanille
85 g de sucre semoule
4 jaunes d'œufs
Cassonade

- Préchauffez le four à 90-100 °C.
- Dans une petite casserole, portez à ébullition la crème avec le lait et la gousse de vanille fendue et grattée. Retirez du feu, couvrez et laissez infuser.
- Dans un petit saladier, battez les jaunes d'œufs avec le sucre. Ajoutez la crème et le lait encore tièdes, mélangez bien. Retirez la gousse de vanille et, en vous aidant d'une louche, répartissez cette préparation dans les moules.
- Faites cuire 45 minutes environ : les crèmes doivent être prises.
- Sortez du four et laissez refroidir.
- Au moment de servir, saupoudrez les crèmes de cassonade que vous ferez caraméliser en utilisant le fer prévu à cet effet, ou le chalumeau. Si vous n'avez ni l'un ni l'autre, faites caraméliser vos crèmes sous le gril du four sans les quitter des yeux.
- Dégustez aussitôt : le contraste thermique entre le dessus, chaud et caramélisé, et la crème, froide, fait partie du « goût » de la crème brûlée.

Crème brûlée au café

Procédez de la même manière mais remplacez la gousse de vanille par 20 g de café lyophilisé (photo ci-contre).

Crêpes

Pour 15 crêpes
Préparation : 15 min
Cuisson : 15 min
Matériel
1 crêpière antiadhésive
de 28 cm de diamètre
Ingrédients
100 g de beurre
60 cl de lait frais entier
250 g de farine
1 cuillerée à café de sel
80 g de sucre semoule
10 g de sucre vanillé
3 œufs
2 jaunes d'œufs

• Dans une petite casserole, faites chauffer le beurre jusqu'à ce qu'il prenne une belle couleur noisette. Retirez du feu et incorporez 10 cl de lait chaud.

• Dans un saladier, à l'aide d'un fouet, mélangez rapidement la farine, le sel et le sucre (semoule et vanillé). Ajoutez les œufs (entiers et jaunes) et le demi-litre de lait progressivement. Incorporez 3 cuillerées à soupe de cette pâte au beurre, mélangez. Incorporez le beurre à la pâte de base. Mélangez bien : vous devez obtenir une pâte lisse, souple et pas trop liquide.

• Vous pouvez laisser reposer cette pâte une heure au réfrigérateur, protégée par un film alimentaire, mais vous pouvez aussi l'utiliser aussitôt : la texture de vos crêpes sera de toute façon très moelleuse !

• Avec une louche, versez la quantité de pâte nécessaire à la préparation d'une crêpe (75 g environ) dans la crêpière chaude et légèrement beurrée. Retournez la crêpe à l'aide d'une spatule pour qu'elle soit dorée des deux côtés. Pendant que vous les faites cuire, l'une après l'autre, réservez les crêpes déjà cuites au chaud, en les recouvrant d'une feuille de papier d'aluminium.

• Dégustez aussitôt : saupoudrées de sucre semoule, nappées de confiture, garnies de crème pâtissière ou de ganache au chocolat...
Laissez faire votre gourmandise !

Secrets de pâtissier. Bien entendu, il n'est pas nécessaire de beurrer une crêpière antiadhésive...
mais le goût de vos crêpes n'en sera que meilleur !
Si vous préparez des crêpes au sucre, ne les sucrez pas à l'avance : le sucre se transforme en sirop et ramollit les crêpes !
Petite histoire. Gérard Mulot se souvient encore des crêpes « dentelle » de ses vacances à Royan : « Gamin, je me brûlais les doigts et les lèvres tellement j'étais pressé de les manger ! » Comment préparer des crêpes « dentelle » ? Saupoudrez vos crêpes déjà cuites de sucre semoule des deux côtés et ajoutez une noisette de beurre dans la crêpière. Prolongez la cuisson de chaque crêpe quelques minutes encore, d'un côté, puis de l'autre, jusqu'à ce que le sucre caramélise.

Crêpes aux zestes d'orange

Ajoutez le zeste d'une orange non traitée dans la pâte et, une fois cuites, garnissez les crêpes de crème pâtissière parfumée au Grand Marnier (recette p.165). Comptez 50 g de crème environ par crêpe.

Éclairs (au café)

Pour 6 éclairs
Préparation : 45 min
Cuisson : 45 min
Matériel
2 poches à douille
1 douille unie n° 14
1 douille unie n° 6
Ingrédients
250 g de pâte à choux
préparée à partir de 125 g de lait
(recette p.170)
300 g de crème pâtissière au café
(recette p.165)
Glaçage au café
400 g de fondant blanc
(chez votre pâtissier)
3 cuillerées à soupe d'eau
3 cuillerées à café d'extrait naturel de café
(ou 2 cuillerées à soupe de café lyophilisé
dilué dans 2 cuillerées à café d'eau)

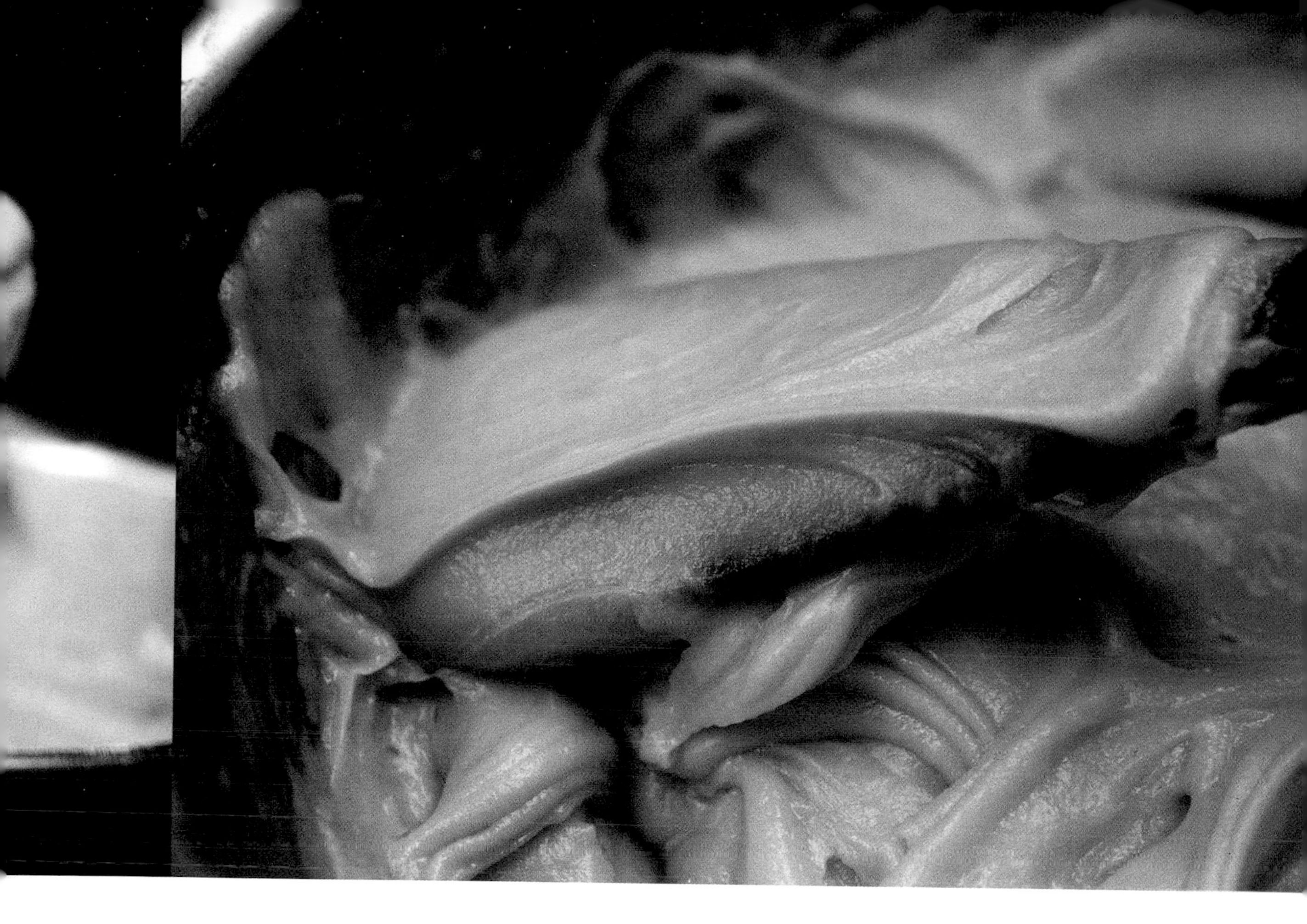

• Préchauffez le four à 200 °C. Préparez la pâte à choux. À l'aide d'une poche munie de la douille n° 14, dressez 6 bâtonnets de 10-12 cm de long (environ 40 g de pâte à choux chacun) sur une plaque revêtue de papier sulfurisé. Laissez suffisamment d'espace entre les bâtonnets pour que la pâte à choux puisse gonfler et cuire correctement.

• Faites cuire aussitôt, pendant 30 minutes environ. Après 10 minutes de cuisson, entrouvrez la porte du four pour permettre à la vapeur de s'échapper et à la pâte de bien sécher.

• La cuisson terminée, laissez les éclairs refroidir avant de les décoller du papier cuisson. Avec la pointe d'un couteau, percez deux petits trous à la base de chaque éclair.

• Préparez la crème pâtissière au café. Remplissez une poche munie de la douille n° 6 et garnissez les éclairs par les petits trous percés (environ 50 g de crème pâtissière par éclair). Réservez-les sur une grille à l'envers, pour que la crème ne coule pas.

• Préparez le glaçage. Dans une casserole du diamètre des éclairs, réchauffez le fondant, avec l'eau, à feu doux (ou au four à micro-ondes : dans ce cas, utilisez plutôt un bol adapté). Ajoutez l'extrait de café : mélangez avec une spatule, en évitant d'incorporer de l'air. Le glaçage est prêt lorsque le fondant a une texture souple et lisse : ni trop épais, ni trop liquide, il doit pouvoir s'étaler facilement, sans couler. Retirez la casserole du feu et glacez vos éclairs aussitôt.

• Trempez le dessus des éclairs dans le fondant et éliminez l'excédent en passant très vite un doigt sur le glaçage.

• Dégustez les éclairs aussitôt.

Secret de pâtissier.
Le glaçage des pièces à base de pâte à choux est une opération assez délicate : si le fondant est trop chaud, et donc trop liquide, le glaçage sera transparent et terne ; s'il est trop froid, et donc trop épais, il sera difficile à étaler.
Sa température idéale d'utilisation est de 35 °C. Prenez sa température avec le bout de votre index : si, au toucher, vous ressentez une légère sensation de tiédeur, le fondant est prêt !

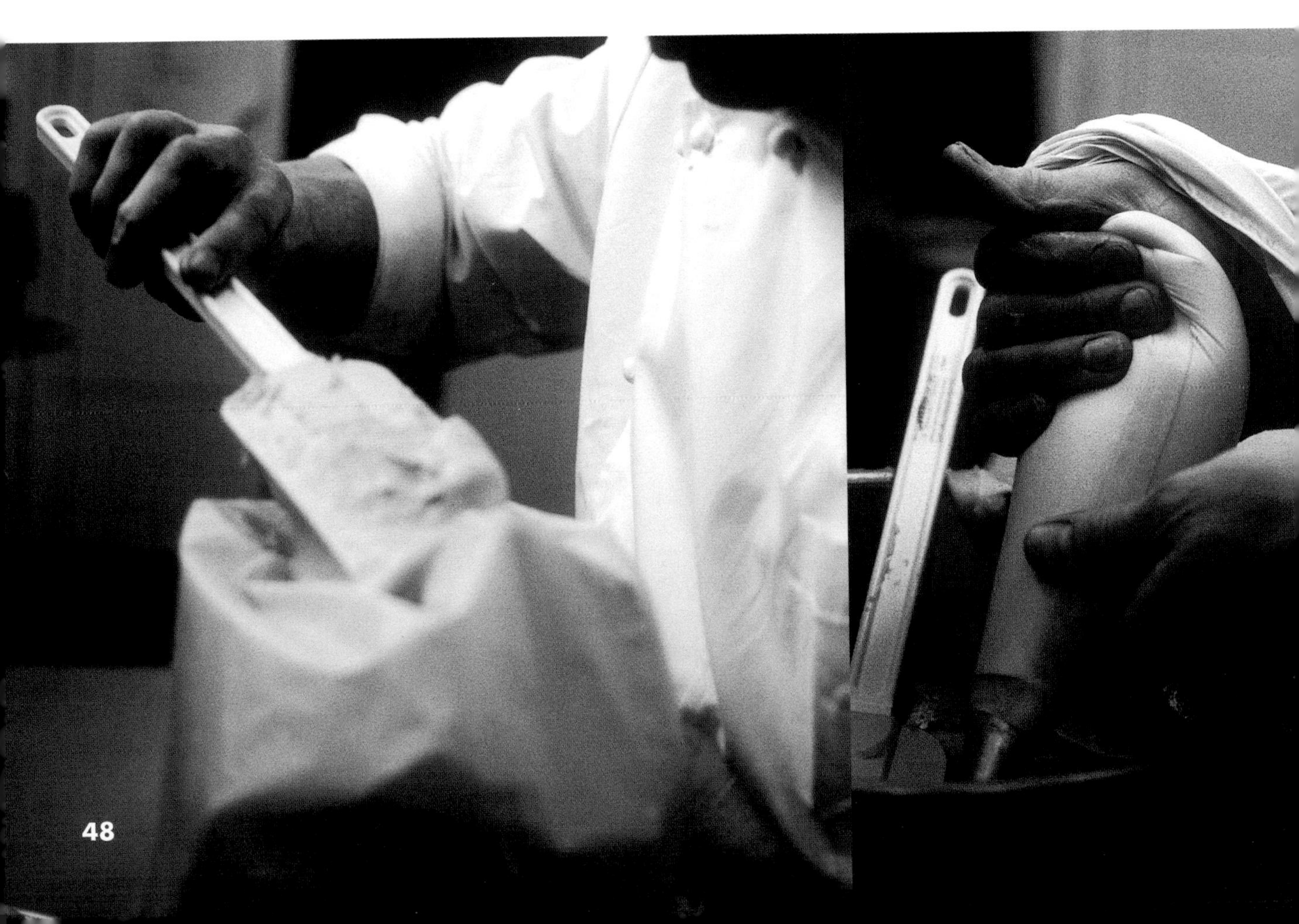

Éclairs (à la vanille)

Procédez de la même manière
mais garnissez les éclairs avec 300 g
de crème pâtissière à la vanille.
Glacez les éclairs avec du fondant blanc
auquel vous aurez ajouté les graines
d'une gousse de vanille fendue et grattée.

Éclairs (au chocolat)

Procédez de la même manière
mais garnissez les éclairs avec 300 g
de crème pâtissière au chocolat
(recette p. 165). Préparez un glaçage
au chocolat en ajoutant au fondant blanc
1 cuillerée à soupe d'eau et 1 cuillerée
à soupe de cacao en poudre.

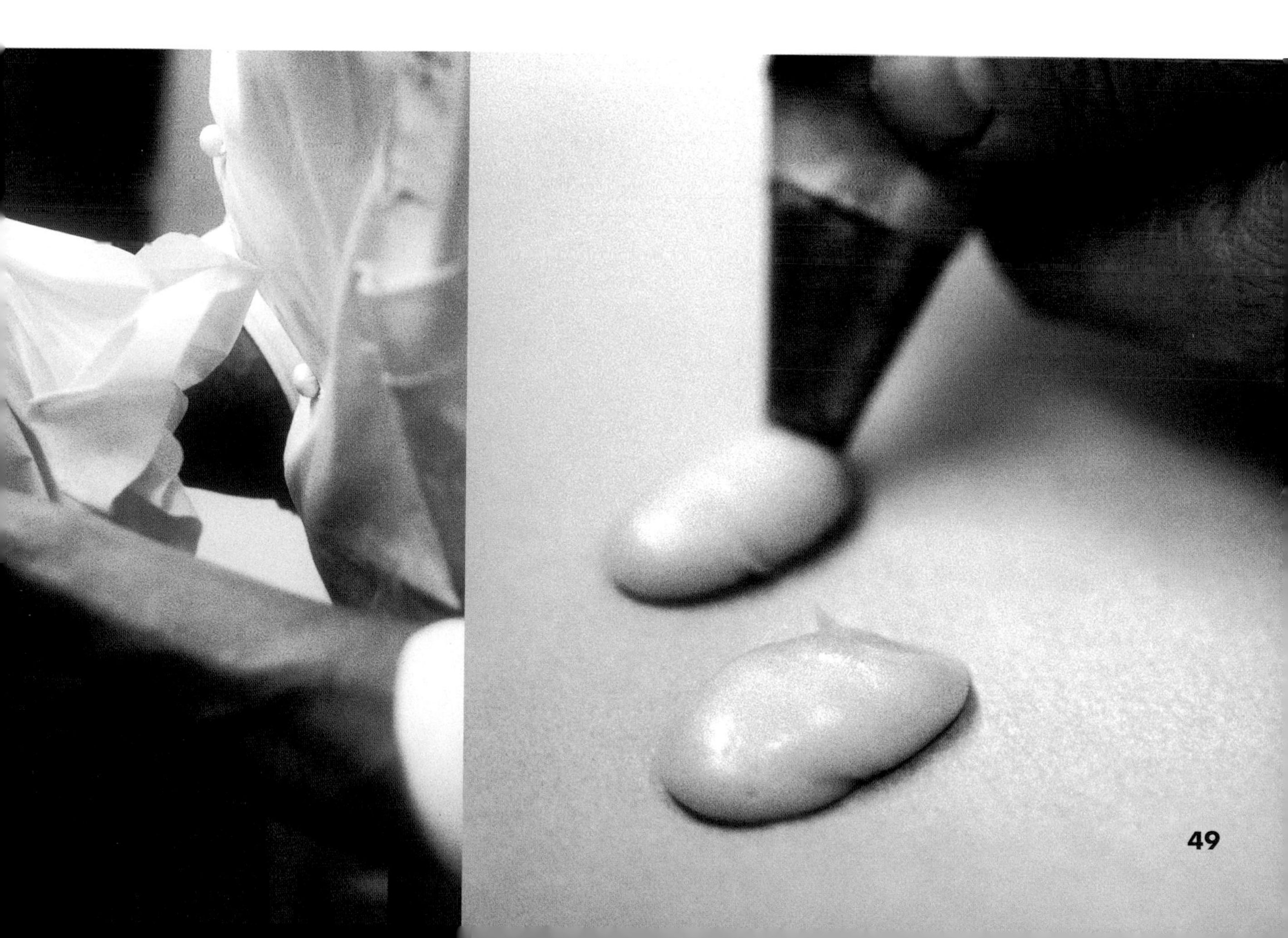

Financiers

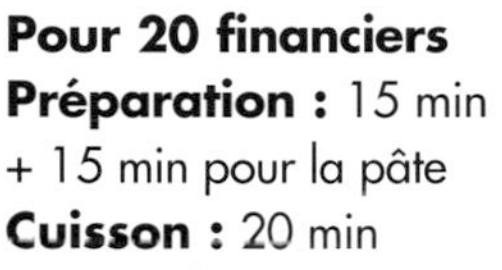

Pour 20 financiers
Préparation : 15 min
+ 15 min pour la pâte
Cuisson : 20 min
Matériel
20 moules à financiers individuels en silicone
Ingrédients
200 g de beurre
350 g de sucre glace
100 g de farine
50 g de d'amandes en poudre
15 g de noisettes en poudre
11 blancs d'œufs

• Préchauffer le four à 230 °C.

• Dans une petite casserole, faites chauffer le beurre, jusqu'à ce qu'il prenne une belle couleur noisette. Retirez du feu et laissez refroidir.

• Faites griller la poudre de noisettes au four pendant 3 minutes, pour qu'elle dégage tout son arôme. Laissez refroidir.
Dans un bol, mélangez le sucre glace, la farine, la poudre d'amandes et de noisettes. Incorporez les blancs d'œufs en fouettant énergiquement. À la fin, ajoutez le beurre noisette. Mélangez bien, jusqu'à obtenir une pâte homogène. Laissez-la reposer 15 minutes à température ambiante.

• À l'aide d'une petite louche, répartissez la pâte dans les moules beurrés.

• Faites cuire les financiers : environ 15 minutes.
À la sortie du four, laissez-les refroidir complètement avant de les démouler. Dégustez aussitôt.

Vous pouvez varier les plaisirs en parfumant la pâte :

• **À la pistache** : remplacez les noisettes par la même quantité de poudre d'amandes et ajoutez quelques grammes de pâte de pistaches à votre préparation (dans les proportions conseillées par le fabricant).

• **Aux zestes d'orange** : ajoutez les zestes de 2 oranges à la pâte. Décorez les financiers avec des écorces d'orange confite.

• **Au chocolat** : ajoutez 20 g de cacao en poudre à la pâte.

Flan (gourmand)

Pour 6 personnes
Préparation : 30 min
+ 1 h 30 de repos pour la pâte
Cuisson : 20-25 min
Matériel
1 moule rond à charnière
(ou un cercle à entremet)
de 24 cm de diamètre

- Roulez la pâte en boule, enveloppez-la dans un film alimentaire et laissez-la reposer une heure au réfrigérateur.

- Au bout de ce temps de repos, sur le plan de travail légèrement fariné, étalez la pâte sur 2-3 mm d'épaisseur. Garnissez le moule beurré à ras bord, piquez le fond avec une fourchette. Réservez au réfrigérateur pendant une demi-heure, pour éviter que la pâte ne se rétracte à la cuisson.

- Préchauffez le four à 230 °C et préparez la crème à flan.

250 g de pâte sablée aux amandes
(p.177)

Crème à flan

85 cl de lait frais entier
165 g de sucre semoule
3 gouttes de vanille liquide
85 g de Maïzena®
3 jaunes d'œufs

Dans une casserole, portez à ébullition le lait avec la moitié du sucre et la vanille liquide.
Dans un saladier, mélangez le reste du sucre à la Maïzena, incorporez les jaunes d'œufs : fouettez jusqu'à obtenir un mélange homogène.

• Versez le lait chaud sur ce mélange, sans cesser de fouetter. Remettez cette préparation dans la casserole et portez-la à ébullition. Retirez aussitôt la casserole du feu et, sans attendre, versez la crème sur le fond sablé. Faites cuire le flan 20-25 minutes, en déplaçant le moule en bas du four en fin de cuisson : la crème doit être prise, et le dessus du flan bien coloré.

• Laissez le flan refroidir complètement avant de le démouler. Dégustez aussitôt.

Fraisier

Pour 6 personnes
Préparation : 50 min
+ 2 h au réfrigérateur
Cuisson : 25 min
Matériel
1 moule rectangulaire
de 20 cm x 24 cm
1 petite palette
Ingrédients
400 g de fraises
de taille moyenne
300 g de génoise
aux amandes
(p.181)
400 g de crème
mousseline à la vanille
(p.165)
Sirop d'imbibage
130 g de sucre semoule
10 cl d'eau
3 cuillerées à soupe de kirsch
Gelée de groseille
12 petites fraises (ou 6 petites
branches de groseilles)
pour le décor

- Préchauffez le four à 200 °C. Préparez la génoise.
- Versez la pâte dans le moule beurré et fariné. À la palette, lissez la surface et faites cuire pendant 10-12 minutes : la consistance du biscuit doit être souple et légèrement élastique.
- Cependant, vérifiez la cuisson en introduisant dans le biscuit la lame d'un petit couteau, qui doit ressortir sèche.
- Démoulez la génoise dès la sortie du four, pour éviter que la condensation ne la fasse ramollir : retournez la plaque sur une feuille de papier sulfurisé (ou un torchon propre).
- Préparez le sirop qui servira à imbiber la génoise : faites bouillir l'eau et le sucre, ajoutez 2 cuillerées à soupe de kirsch. Laissez refroidir. Préparez votre crème mousseline à la vanille.
- Lavez, épongez et équeutez les fraises. Montez votre fraisier.
- Égalisez l'épaisseur de la génoise au couteau-scie en retirant la « peau » du biscuit. Coupez-la en deux, dans le sens de la longueur. Posez un rectangle de génoise sur le plat à dessert. Imbibez-le avec la moitié du sirop, étalez la moitié de la crème mousseline, puis enfoncez les fraises dans la crème, bien serrées les unes contre les autres, la pointe vers le haut. Aspergez avec un peu de kirsch et couvrez les fraises avec le reste de la crème mousseline, puis lissez le dessus et les côtés du fraisier avec une petite palette. Couvrez avec le deuxième rectangle de génoise. Imbibez-le avec le reste de sirop.
- Laissez durcir la crème au réfrigérateur au moins 1 heure.
- Sortez le fraisier du réfrigérateur et, avec la petite spatule, recouvrez-le d'une fine couche de gelée de groseille. Laisser reposer le fraisier encore 1 heure au réfrigérateur.
- Juste avant de servir, décorez votre gâteau avec des petites fraises entières ou des branches de groseilles. Vous pouvez accompagner votre fraisier d'un coulis de fruits rouges (p.168).

Secret de pâtissier. Les temps de repos du fraisier au réfrigérateur sont indispensables au développement du goût de votre gâteau.
Conseil. Passez la lame du couteau sous l'eau chaude, avant de découper le fraisier : vous aurez de belles tranches nettes, comme si vous les aviez achetées chez Gérard Mulot !

Galette (à l'orange)

Pour 6 personnes
Préparation : 30 min
+ 1 h 30 pour la pâte
Cuisson : 30 min
Matériel
1 moule rond de 24 cm
de diamètre

• Préparez la pâte sablée aux amandes.
Roulez la pâte en boule, enveloppez-la dans un film alimentaire et laissez-la reposer une heure au réfrigérateur avant de l'utiliser.

• Au bout de ce temps de repos, sur le plan de travail légèrement fariné, étalez la pâte sur 2-3 mm d'épaisseur en un disque de 28 cm de diamètre. Déposez ce disque à l'intérieur du cercle à tarte, puis roulez la pâte qui dépasse sur elle-même pour former un petit boudin. Retournez le disque. Festonnez la bordure en pinçant le boudin de pâte tous les 2 cm entre le pouce et l'index.

Ingrédients
300 g de pâte sablée aux amandes
(p.177)
175 de marmelade aux écorces d'oranges
40 g d'amandes en poudre
1 cuillerée à café bombée de farine
40 g de sucre semoule
90 g de blancs d'œufs
35 g de sucre semoule
Sucre glace
8 losanges d'orange confite

Réservez au réfrigérateur pendant une demi-heure, pour éviter que la pâte ne se rétracte à la cuisson.

• Pendant ce temps, dans un petit saladier, mélangez la poudre d'amandes, la farine et le sucre. Dans un bol, montez les blancs en neige ferme avec le sucre. Incorporez-les au mélange à base d'amandes en soulevant délicatement la masse d'un mouvement circulaire avec une spatule.

• Préchauffez le four à 180 °C.

• Sortez le disque de pâte du réfrigérateur. Étalez la marmelade d'oranges. Couvrez avec la préparation à base d'amandes. Lissez à la spatule,saupoudrez abondamment de sucre glace et décorez avec les losanges d'orange confite.

• Faites cuire 30 minutes environ, en ayant pris le soin d'entrouvrir la porte du four à mi-cuisson pour laisser sortir la vapeur d'eau. La galette est cuite lorsque la pâte sablée prend une belle couleur dorée. Le dessus par contre, ne doit pas colorer et doit rester nacré.

• Laissez refroidir avant de déguster.

Gâteau

(au fromage blanc)

Pour 6 personnes
Préparation : 30 min
+ 1 h 30 pour la pâte
Cuisson : 1 h 15
à préparer au moins 2 h
avant la dégustation
Matériel
1 moule rond à charnière
(ou un cercle à entremet) de 24 cm
de diamètre et 4 cm de hauteur
350 g de pâte sablée aux amandes
(p. 177)
500 g de fromage blanc
à 0% de matière grasse
3 jaunes d'œufs
160 g de sucre semoule
50 g de fécule de pomme de terre
25 g de Maïzena®
8 blancs d'œufs
45 g de raisins secs
2 cuillerées à soupe
de rhum ambré

• Préparez la pâte sablée aux amandes.
Roulez la pâte en boule, enveloppez-la dans un film alimentaire et laissez-la reposer au moins une heure au réfrigérateur avant de l'utiliser.

• Faites macérer les raisins secs dans le rhum. Égouttez le fromage blanc.

• Confectionnez le fond du gâteau.
Sortez la pâte du réfrigérateur et, sur le plan de travail légèrement fariné, étalez-la sur 3-4 mm d'épaisseur en un disque de 30 cm de diamètre. Déposez-le dans le moule beurré en réalisant un bord de 3 cm de hauteur. Avec le bout des doigts, délicatement, appuyez sur le bord pour le faire adhérer au moule. Piquez le fond avec une fourchette et laissez reposer une demi-heure au réfrigérateur pour éviter que la pâte ne se rétracte à la cuisson.

• Pendant ce temps, mélangez les jaunes d'œufs avec 100 g de sucre, ajoutez le fromage blanc, la fécule et la Maïzena. Montez les blancs en neige ferme avec le reste du sucre. Incorporez-les à la préparation au fromage blanc avec une spatule, en soulevant délicatement la masse d'un mouvement circulaire. Arrêtez dès que le mélange est homogène. S'il retombe un peu, ne vous inquiétez pas : le gâteau au fromage blanc n'est pas un soufflé !

• Préchauffez le four à 180 °C.

• Sortez le moule du réfrigérateur. Égouttez les raisins secs, répartissez-les sur le fond. Versez la préparation au fromage blanc en remplissant le moule jusqu'en haut. Faites cuire pendant 1heure 15 environ.
À mi-cuisson, recouvrez le gâteau avec une feuille de papier d'aluminium pour éviter une coloration de surface trop importante.

• Laissez le gâteau refroidir complètement (au moins 2 heures) avant de le démouler et de le déguster.

• Vous pouvez accompagner ce gâteau de fruits rouges frais (groseilles, framboises, ...) ou bien d'un coulis (p.166).

• En remplaçant le rhum par 2 cuillerées à soupe de jus de citron, vous préparerez un gâteau au fromage blanc très délicat et légèrement acidulé.

Conseil. Ne vous inquiétez pas si, en refroidissant, le gâteau au fromage blanc se dégonfle : c'est normal, ce sont les blancs montés en neige qui retombent ! Votre gâteau gardera quand même sa belle hauteur et une texture légère et mousseuse !

Kouglof
(alsacien)

Pour un kouglof de 6 parts
Préparation : 30 min + 4 heures pour la pâte
Cuisson : 1 h
Matériel
1 moule à kouglof en terre cuite de 22 cm de diamètre
1 pinceau
Ingrédients
Pâte à brioche
(p.18)
90 g de raisins secs blonds
Quelques amandes entières émondées
6 cuillerées à soupe de lait d'amandes ou de sirop d'orgeat
3 cuillerées à soupe d'eau
2 gouttes de fleur d'oranger
10 g de beurre fondu
Sucre glace

- Lavez les raisins à l'eau fraîche, séchez-les avec du papier absorbant.
- Préparez la pâte à brioche.
Dès que la pâte ne colle plus ni au récipient ni à vos doigts, incorporez les raisins et procédez comme pour une brioche traditionnelle : mettez la pâte dans un grand saladier, couvrez-la avec un torchon propre et laissez « pointer », c'est-à-dire doubler de volume, dans un endroit tempéré, à l'abri des courants d'air, pendant 1 heure.
- Au bout de ce temps de repos, « rabattez » la pâte, c'est-à-dire écrasez-la avec la paume de la main pour qu'elle se dégonfle et retrouve son volume initial, puis rangez-la au réfrigérateur pendant 2 heures pour un deuxième « pointage » contrôlé.
- Sur le plan de travail légèrement fariné, faites rouler la pâte et mettez-la en boule. Avec vos doigts farinés, faites un trou au milieu de la boule et écartez légèrement les bords pour former une couronne.
- Beurrez le moule, mettez une amande dans chaque cannelure et déposez la pâte à kouglof. Couvrez avec un torchon propre et laissez lever une dernière fois, pendant 1 heure au moins, à l'abri des courants d'air (dans le four, porte fermée, par exemple) : la pâte doit encore doubler de volume.
- Préchauffez le four à 180 °C et faites cuire le kouglof pendant une heure environ.
- Démoulez le kouglof dès la sortie du four, pour laisser s'échapper les vapeurs de cuisson, mais laissez-le refroidir complètement sur une grille avant de le décorer.
- Dans un bol, mélangez le sirop d'orgeat, l'eau et la fleur d'oranger. Faites fondre le beurre. Avec un pinceau, badigeonnez le kouglof d'abord avec le sirop parfumé, puis avec le beurre fondu. Saupoudrez de sucre glace et dégustez aussitôt.
- Vous pouvez garder ce kouglof 4 jours, enveloppé dans une feuille de papier d'aluminium, dans un endroit frais et à l'abri de l'humidité.

Secret de Gérard Mulot. Le fait de badigeonner le kouglof avec le sirop d'orgeat parfumé à la fleur d'oranger permet non seulement d'attendrir sa croûte, mais aussi de lui donner un petit goût très particulier qui fera toute la différence.
Le fait de le badigeonner de beurre fondu sert à l'isoler de l'humidité ambiante : votre kouglof restera moelleux plus longtemps !
Tour de main. Si vous utilisez le moule à kouglof pour la première fois beurrez-le et faites-le chauffer vide au four 30 minutes à 200 °C pour le « culotter ».

Pour 10 gros
ou 40 petits macarons
Préparation : 1 h
Cuisson : 8-12 min

Matériel

2 poches
1 douille unie n° 10
(petits macarons)
ou n° 12 (gros macarons)
1 douille unie n° 6
(pour le garnissage)
2 plaques de cuisson
superposables
1 tapis de cuisson en silicone
(facultatif)

Ingrédients

Crème à l'orange – 170 G?

Jus de 3 oranges
Zestes de 1 orange non traitée
85 g de beurre
65 g de sucre semoule
1 jaune d'œuf
2 œufs entiers
15 g de Maïzena®

Pâte à macarons

3 blancs d'œufs
50 g de sucre semoule
200 g de sucre glace
110 g de poudre d'amandes
1 cuillère à café rase
de cannelle en poudre
Colorant alimentaire rouge
et jaune
Brisures de gavottes

Macarons (cannelle-orange)

• Préparez la crème à l'orange.
Dans une petite casserole, portez à ébullition le jus d'orange, les zestes, le beurre et la moitié du sucre. Dans un bol, fouettez les œufs entiers avec le jaune, la Maïzena et le reste du sucre. Versez le contenu de la casserole sur les œufs en mince filet, fouettez. Remettez dans la casserole et, tout en mélangeant, portez à ébullition pendant 2-3 minutes, comme s'il s'agissait d'une crème pâtissière. Refroidissez-la rapidement en plongeant la casserole dans un bac d'eau froide. Couvrez d'un film alimentaire et réservez au réfrigérateur.

• Préchauffez votre four à 210 °C.

• Dans un saladier, fouettez en neige ferme les blancs d'œufs avec le sucre semoule. Tout en fouettant, ajoutez quelques gouttes de colorant rouge et jaune pour obtenir une jolie couleur orangée.

• Dans un bol, mélangez le sucre glace, la poudre d'amandes et la cannelle.
Incorporez-les aux blancs montés en soulevant délicatement la masse des blancs d'un mouvement circulaire. Arrêtez dès que le mélange est homogène.

• À l'aide d'une poche munie de la douille n° 10 (petits macarons de 3 cm de diamètre) ou n° 12 (gros macarons de 6 cm de diamètre) dressez les macarons (80 fonds pour les petits et 20 pour les gros) sur une plaque revêtue de papier cuisson (ou sur un tapis de cuisson en silicone), elle-même posée sur une autre plaque. Cette précaution de la plaque doublée évite une cuisson trop brutale et permet d'obtenir des macarons moelleux, à l'intérieur d'une coque rigide. Saupoudrez de brisures de gavottes et faites cuire aussitôt : 8 minutes pour les petits macarons, 12 minutes pour les gros. Pendant la cuisson, gardez la porte du four légèrement entrouverte pour que l'humidité puisse s'échapper.

• Dès la sortie du four, faites couler un petit filet d'eau sous le papier de cuisson, sans inonder les macarons ! La vapeur qui s'échappe rendra vos macarons encore plus moelleux et vous permettra de les décoller plus facilement, une fois refroidis.

• Au moment de la dégustation, à l'aide d'une poche munie de la douille n° 6, garnissez la moitié des macarons de crème à l'orange. Assemblez-les coques deux par deux.

• Ne faites plus attendre votre gourmandise, vous l'avez mérité : dégustez !

Secret de Gérard Mulot. Réaliser des macarons est une opération délicate. Si vous voulez obtenir des macarons lisses et moelleux, lisez bien la recette avant de vous mettre au travail et respectez à la lettre les conseils de Gérard Mulot ! Pour le dressage des macarons, utilisez une poche parfaitement sèche, sous peine d'avoir des macarons à la coque fissurée, car la pâte à macarons n'aime pas l'eau.
Conseil. Les macarons se conservent 2-3 jours dans une boîte hermétique, ou enveloppés dans une feuille de papier d'aluminium, au réfrigérateur. Pensez à les sortir une heure avant la dégustation pour les remettre à température ambiante.

•••

Macarons cassis-griotte

Dans la pâte à macarons, ajoutez quelques gouttes de colorant alimentaire violet, afin d'obtenir une jolie couleur cassis. Pour le garnissage des macarons mélangez 1 cuillerée à soupe de Maïzena, 1 cuillerée à soupe de pectine de pomme pour confiture et 15 g de sucre. Dans une casserole, portez à ébullition 160 g de purée de griottes surgelées mixées, 80 gr de purée de cassis également préparée à partir de cassis surgelés et mixés et 80 g de sucre, en mélangeant. Ajoutez ensuite la première préparation et laissez cuire encore 5 minutes sans arrêter de remuer. Couvrez d'un film alimentaire, et réservez au réfrigérateur jusqu'au moment de garnir vos macarons.

Macarons à la framboise

Dans la pâte à macarons, ajoutez quelques gouttes de colorant alimentaire rose.
Pour le garnissage des macarons, utilisez 350 g de confiture de framboises de très bonne qualité, assez épaisse.

Macarons à la confiture de rose

Dans la pâte à macarons, ajoutez quelques gouttes de colorant alimentaire rose. Pour le garnissage des macarons, utilisez 350 g de confiture de groseilles de très bonne qualité, assez épaisse, parfumée avec une cuillerée à soupe de liqueur de rose.

Macarons au citron

Dans la pâte à macarons, ajoutez quelques gouttes de colorant alimentaire jaune citron.
Pour le garnissage des macarons, utilisez 350 g de crème de citron (celle utilisée pour préparer la tarte au citron, p.77).

Macarons au chocolat

Dans la pâte à macarons, ajoutez une cuillerée à soupe de cacao amer en poudre (à mélanger avec les amandes et le sucre glace avant incorporation dans les blancs montés en neige ferme) et une goutte de colorant alimentaire rouge. Pour le garnissage des macarons, utilisez 350 g de ganache au chocolat (p.163).

Macarons au café

Dans la pâte à macarons, ajoutez quelques gouttes d'extrait liquide de café.
Pour le garnissage des macarons, utilisez 350 g de crème au beurre parfumée au café (p.166).

Macarons à la pistache

Dans la pâte à macarons, ajoutez une pointe de couteau de pâte de pistaches (à mélanger avec les amandes et le sucre glace avant incorporation dans les blancs montés en neige ferme) et ajoutez quelques gouttes de colorant alimentaire vert. Pour le garnissage des macarons, préparez 350 g de ganache à la pistache avec : 200 g de chocolat blanc de très bonne qualité 10 cl de crème fleurette, 80 g de pâte de pistaches. Dans une petite casserole, portez à ébullition la crème fleurette. Retirez du feu, incorporez la pâte de pistaches, versez sur le chocolat haché. Mélangez lentement avec une spatule en évitant d'incorporer de l'air. Laissez la ganache refroidir complètement avant de l'utiliser.

Macarons à la noisette

Dans la pâte à macarons, ajoutez une goutte d'extrait de café liquide et une goutte de colorant alimentaire rouge. Juste avant la cuisson, saupoudrez les macarons de noisettes torréfiées, finement hachées. Pour le garnissage des macarons, préparez 350 g de ganache à la noisette avec : 200 g de chocolat au lait de très bonne qualité, 10 cl de crème fleurette 80 g de pâte de noisette, (vous pouvez l'acheter chez votre pâtissier). Dans une petite casserole, portez à ébullition la crème fleurette. Retirez du feu, incorporez la pâte de noisettes, versez sur le chocolat haché. Mélangez lentement avec une spatule en évitant d'incorporer de l'air. Laissez la ganache refroidir complètement avant de l'utiliser.

Macarons au nougat

Préparez la pâte à macarons en mélangeant le sucre glace et la poudre d'amandes avant de les incorporer aux blancs d'oeufs en neige sucrés. Juste avant la cuisson, saupoudrez les macarons, d'éclats de nougat et de pistaches hachées. Pour le garnissage mélangez au fouet électrique 160 g de pâte d'amandes (à 50 % d'amandes), 120 g de beurre, 25 g de miel et 50 g de pâte de nougat (chez votre pâtissier).

Macarons à la noix de coco

Préparez la pâte à macarons. Saupoudrez-les, avant cuisson, de noix de coco rapée. Pour le garnissage des macarons, préparez la ganache à la noix de coco. Dans une casserole portez à ébullition 135 g de purée de noix de coco (achetée chez votre pâtissier). Versez-la en 3 fois sur 220 gr de chocolat blanc haché, en remuant : votre ganache doit être crémeuse et lisse. Couvrez-la d'un film alimentaire et réservez-la au réfrigérateur jusqu'au moment de garnir les macarons.

Madeleines

(à l'eau de rose)

Pour 20 à 24 madeleines
Préparation : 15 min
+ 1 h pour la pâte
Cuisson : 15 min
Matériel
plaques à madeleines
1 pinceau
Ingrédients
3 œufs
100 g de sucre semoule
100 g de farine
1 cuillerée à café bombée
de levure chimique
75 de beurre
1 cuillerée à café d'eau de rose
Beurre fondu (pour les moules)

• Dans un saladier, travaillez les œufs avec le sucre jusqu'à ce que le mélange blanchisse. Tout en fouettant, ajoutez progressivement la farine, la levure et, à la fin, le beurre fondu et refroidi. Mélangez bien, jusqu'à obtenir une pâte lisse et homogène.

• Parfumez la pâte à l'eau de rose.
Laissez-la reposer au moins 1 heure au réfrigérateur (mais vous pouvez également préparer la pâte la veille et la garder au réfrigérateur toute la nuit).

• Préchauffez le four à 200 °C.
À l'aide d'une cuillère, repartissez la pâte dans les moules beurrés (au pinceau avec du beurre fondu) et légèrement farinés. Remplissez-les aux trois quarts.

• Faites cuire les madeleines 10 à 15 minutes en surveillant leur coloration. Dégustez à peine refroidies.

• Vous pouvez faire varier le plaisir en parfumant vos madeleines à la vanille liquide ou à l'eau de fleur d'oranger, dans ce cas, remplacez l'eau de rose par la même quantité de votre parfum préféré !

Petite histoire. Cette recette est un hommage de Gérard Mulot à sa mère, à qui il a demandé lla recette de son enfance, et à sa grand-mère, fine cuisinière. Sa mère s'appelle... Rose, et sa grand-mère ... Madeleine. Depuis Proust, tout le monde le sait : les meilleures madeleines sont celles du souvenir !

Conseil. Comme toutes les préparations à base de blancs d'œufs montés (biscuits à la cuillère, macarons...), les meringues ne peuvent pas attendre : faites-les cuire aussitôt.
De plus, pour que la cuisson soit plus douce et progressive, elles doivent cuire sur plaque doublée, surtout si votre four n'est pas un four à chaleur tournante.

Secret de Gérard Mulot. Pourquoi saupoudrer les meringues de sucre glace, à deux reprises, juste avant la cuisson ?
Pour avoir des meringues joliment « perlées » ! À la sortie du four vos meringues seront couvertes de petites perles, très savoureuses, de sucre légèrement caramélisé.

Meringue (chantilly)

Pour 6 meringues (ou 12 coques)
Préparation : 15 min
Cuisson : 2 h
Matériel
2 plaques de cuisson superposables
2 poches à douille
1 douille unie n° 18
1 douille cannelée moyenne pour les meringues
Ingrédients
3 blancs d'œufs
1 goutte d'extrait naturel de vanille
90 g de sucre semoule
90 g de sucre glace
Sucre glace
Pour la crème chantilly
25 cl de crème fleurette
20 g de sucre glace
1 goutte d'extrait naturel de vanille

• Préchauffez le four à 100 °C.

• Réservez la crème liquide au réfrigérateur pour qu'elle soit bien froide au moment où vous la montez.

• Préparez la meringue.
Dans un saladier, à l'aide du batteur électrique, montez les blancs en neige ferme. Ajoutez la vanille et le sucre semoule en pluie, tout en fouettant. Dès que les blancs sont bien fermes arrêtez de fouetter. Avec une spatule, incorporez le sucre glace en soulevant délicatement la masse des blancs d'un mouvement circulaire : le mélange doit être souple et homogène.

• À l'aide d'une poche munie de la douille n° 18 dressez des coques ovales de 8-9 cm de longueur sur une plaque revêtue de papier sulfurisé. Saupoudrez les meringues de sucre glace, attendez 5 minutes puis saupoudrez à nouveau.

• Doublez la plaque de cuisson et faites cuire les meringues pendant 2 heures. Tous les quarts d'heure, entrouvrez la porte du four pendant 5 minutes pour laisser sortir la vapeur de cuisson et faire sécher les meringues. Les meringues ne doivent pas colorer, ou très peu : si elles colorent trop, baissez la température du four.
À la fin de la cuisson, sortez la plaque du four et laissez les meringues refroidir complètement avant de les décoller du papier de cuisson.

• Préparez la crème chantilly.
Dans un saladier, au batteur électrique, montez la crème liquide froide avec le sucre et la vanille en chantilly ferme. Réservez au réfrigérateur.

• Juste avant de déguster, à l'aide d'une poche munie de la douille cannelée, déposez une guirlande de chantilly sur le côté plat de la moitié des coques. Assemblez les coques deux par deux, en « sandwich ». Décorez le dessus de la meringue d'un feston de chantilly.

• Servez aussitôt : la chantilly doit être bien froide au moment de la dégustation.

• L'été, vous pouvez accompagner ces meringues avec des fruits rouges frais (framboises, fraises des bois, groseilles...), ou bien avec un coulis de fruits rouges (p. 168).

• Les meringues, non garnies, se conservent très longtemps (plus d'un mois !) dans une boîte de métal, à l'abri de l'humidité.

Millefeuille (à la vanille)

Pour 6 personnes
Préparation : 45 min
+ 24 h au réfrigérateur
Cuisson : 30 min
Matériel
2 plaques de cuisson
1 poche et 1 douille unie n° 12
Ingrédients
450 g de pâte feuilletée
(p.172)
3 cuillerées à soupe
de sucre semoule
3 cuillerées à soupe
de sucre glace
450 g de crème
pâtissière à la vanille
(p.165)
15 cl de crème fleurette

• **La veille**, préparez la pâte feuilletée. Enveloppez-la dans un film alimentaire et laissez-la reposer 24 heures au réfrigérateur avant de l'utiliser.

• **Le lendemain**, sur le plan de travail légèrement fariné, abaissez le feuilletage sur 2-3 mm d'épaisseur, aux dimensions de 3 rectangles de 10 cm x 24 cm. Étalez la pâte avec des mouvements réguliers du rouleau, sans appuyer trop fort. Tous les 2 3 mouvements, décollez l'abaisse et faites-la tourner sur le plan de travail fariné, en essayant de garder la même épaisseur partout. Avec un couteau bien aiguisé, pour ne pas déchirer la pâte, découpez les 3 rectangles, posez-les sur une feuille de papier sulfurisé et réservez-les au réfrigérateur pendant 2 heures, pour éviter que la pâte ne se rétracte à la cuisson.

• Préchauffez le four à 180 °C.
Sortez les rectangles de pâte du réfrigérateur et, avec leur papier, posez-les sur une plaque de cuisson. Piquez le feuilletage avec une fourchette, saupoudrez de sucre semoule. Couvrez les abaisses d'une feuille de papier sulfurisé, posez dessus la deuxième plaque de cuisson qui empêchera le feuilletage de gonfler. Faites cuire 20 minutes environ, jusqu'à une légère coloration blonde. Sortez les plaques du four, augmentez la température à 230 °C.

Retournez le feuilletage sur son papier de cuisson, saupoudrez-le de sucre glace et faites-le caraméliser au four pendant 3-4 minutes.
Sortez le feuilletage du four et laissez-le refroidir complètement avant de confectionner le millefeuille.
Si votre four n'est pas assez grand pour contenir les 3 plaques en même temps, procédez en plusieurs fois, en réservant les abaisses à cuire au réfrigérateur.

• Pendant ce temps, préparez la crème légère à la vanille : mélangez délicatement la crème pâtissière, froide, à la crème liquide montée en chantilly ferme. Réservez au frais.

• À l'aide d'une poche munie de la douille n° 12 recouvrez le premier rectangle, côté caramélisé et lisse vers le haut, avec la moitié de la crème légère à la vanille.

• Posez le deuxième rectangle dessus, côté caramélisé vers le haut. Recouvrez-le avec le reste de la crème. Posez dessus le troisième rectangle de pâte feuilletée, côté caramélisé vers le haut.

• Égalisez le millefeuille en appuyant légèrement dessus, et lissez le pourtour avec une palette.

• Réservez-le au réfrigérateur une demi-heure, pour raffermir la crème et faciliter la découpe réalisée en utilisant un couteau-scie tenu verticalement. Dégustez aussitôt.

Secret de Gérard Mulot. Pourquoi est-il important de caraméliser la pâte feuilletée ? Parce que la fine couche de sucre caramélisé qui recouvre la pâte protège le feuilletage qui ne ramollit pas au contact de la crème et reste croustillant plus longtemps.
Conseil de dégustation. Le millefeuille fait partie des « gâteaux minute », à consommer tout de suite après leur préparation car, malgré la caramélisation, la crème finit par détremper le feuilletage.

Millefeuille aux fruits rouges, parfumé à la violette

Pour réaliser ce millefeuille il vous faut, en plus de la recette précédente, une barquette de fruits rouges de saison (fraises de petite taille, fraises des bois, framboises, myrtilles…) et de la confiture de framboises que vous parfumerez à la liqueur de violette.
Au moment du montage, à la palette, étalez une fine couche de confiture sur la première feuille de pâte caramélisée. Disposez les fruits rouges sur le bord du feuilletage, en rang serré, et à l'intérieur pêle-mêle, en laissant suffisamment de place pour la crème. Garnissez avec la crème légère à la vanille. Recommencez l'opération sur la deuxième feuille de pâte. Posez dessus le troisième rectangle de feuilletage, côté caramélisé vers le haut. Réservez le millefeuille au réfrigérateur une demi-heure avant de le déguster.

Mousse (aux marrons)

Pour 6 personnes
Préparation : 25 min
+ 2 h de réfrigération
Cuisson : 15 min
Matériel
6 verres
Ingrédients
Appareil à bombe
5 jaunes d'œufs
60 g de sucre
5 cuillerées à soupe d'eau
Crème de marrons
150 g de crème de marrons
150 g de pâte de marrons
3 cuillerées à soupe de whisky
6 g de gélatine
3 cuillerées à soupe d'eau
45 cl de crème fleurette
Quelques marrons entiers
et 1 meringue
pour décorer les verres

• Préparez un bain-marie bien chaud.

• Dans un petit saladier, battez les jaunes d'œufs.
Dans une petite casserole, portez à ébullition le sucre avec 3 cuillerées à soupe d'eau. Versez ce sirop sur les œufs, tout en fouettant. Remettez dans la casserole et faites cuire au bain-marie : le mélange doit atteindre 60 °C (prenez la température avec le bout de votre index : si, au toucher, vous ressentez une sensation de chaleur, le mélange est à la bonne température).
Retirez la casserole du feu et continuez de fouetter jusqu'au refroidissement complet de la préparation : elle doit doubler de volume.
Gardez le bain-marie au chaud.

• Faites tremper les feuilles de gélatine dans 2 cuillerées à soupe d'eau froide. Faites chauffer la crème et la pâte de marrons dans un bain-marie frémissant.
Parfumez au whisky, puis incorporez les feuilles de gélatine essorées.
Mélangez bien pour faciliter l'incorporation. Laissez tiédir.

• Pendant ce temps, fouettez la crème fleurette en chantilly mousseuse. Incorporez-la à la crème à base de marrons avec une spatule, en soulevant délicatement la masse d'un mouvement circulaire.
Pour finir, incorporer cette crème à la préparation à base d'œufs.

• Répartissez la mousse dans les verres, parsemez de marrons entiers. Réservez au réfrigérateur au moins 2 heures avant la dégustation.

• Au moment de servir, décorez les verres avec des éclats de meringue. Dégustez aussitôt.

Secret de Gérard Mulot. Dans la préparation de ses mousses, Gérard Mulot n'incorpore jamais les jaunes d'œufs crus, mais préfère les faire cuire lors de la préparation de « l'appareil à bombe ». Vos mousses auront une onctuosité incomparable…

Tartelettes

(meringuées au citron)

Pour 6 personnes
Préparation : 30 min
+ 1 h 30 de repos pour la pâte
Cuisson : 1 h
Matériel
6 moules ronds
(ou 6 cercles à tartelette)
à bords droits et lisses
de 8 cm de diamètre
1 poche et une douille
cannelée de taille moyenne

• Préparez la pâte sablée aux amandes. Roulez la pâte en boule, enveloppez-la dans un film alimentaire et laissez reposer 1 heure au réfrigérateur.

• Au bout de ce temps de repos, sur le plan de travail légèrement fariné, étalez-la pâte sur une épaisseur de 2-3 mm et garnissez le moule beurré en réalisant un bord de 2 cm.
Parez le pourtour, piquez le fond avec une fourchette et réservez au réfrigérateur au moins une demi-heure pour éviter que la pâte ne se rétracte à la cuisson.

Ingrédients
400 g de pâte sablée aux amandes
(p.177)
Crème au citron
130 g de jus de citron
115 g de beurre
200 g de sucre semoule
2 jaunes d'œufs
2 œufs entiers
25 g de Maïzena®
Zestes de 1 citron non traité
Meringue italienne
(p.71)

- Préchauffez le four à 220 °C.
- Sortez le moule du réfrigérateur, protégez le fond avec une feuille de papier sulfurisé remplie à hauteur de haricots secs et faites cuire pendant 15 minutes, jusqu'à une légère coloration blonde.
Sortez le moule du four, retirez le papier sulfurisé et laissez refroidir avant de démouler.
- Préparez la crème au citron.
Dans une petite casserole, mélangez le jus et les zestes de citron, avec le sucre, les jaunes et les œufs entiers battus ensemble, et la Maïzena. Faites cuire la crème à feu doux, sans cesser de remuer, jusqu'à ce qu'elle devienne onctueuse et « nappe » la spatule : trempez la spatule dans la crème et, avec votre index, faites un trait qui doit rester visible.
En aucun cas, la crème ne doit bouillir.
- Filtrez la crème pour qu'elle soit parfaitement lisse. Laissez-la tiédir, sans cesser de remuer, avant d'incorporer le beurre coupé en petits morceaux.
Arrêtez de mélanger dès que la crème retrouve une texture bien homogène.
- Versez la crème au citron sur le fond des tartelettes, laissez durcir à température ambiante.
- Pendant ce temps, préparez la meringue italienne. Garnissez la poche munie de la douille cannelée et décorez chaque tartelette d'une belle rosace.
- Repassez les tartelettes au four très chaud (250 °C) pendant 4-5 minutes, pour faire colorer la meringue.
- Dégustez aussitôt.

Meringue (italienne)

Pour 300 g de meringue italienne
Préparation : 15 min
Cuisson : 10 min
Matériel
1 thermomètre à sucre (jusqu'à 200 °C)
1 batteur électrique
Ingrédients
180 g de sucre semoule
5 cuillerées à soupe d'eau
3 blancs d'œufs

Dans une petite casserole, faites cuire le sucre avec l'eau jusqu'à 121 °C, c'est à dire jusqu'au « petit boulé » : à ce moment de la cuisson, si vous trempez une pointe de couteau dans le sucre, puis dans l'eau froide, en faisant rouler le sucre entre vos doigts, vous pouvez le mettre en « boule ».
Tout en surveillant la cuisson du sucre, montez les blancs d'œufs en neige ferme. Versez le sucre cuit sur les blancs montés, en mince filet. Commencez par fouetter vigoureusement le mélange, pour faciliter l'incorporation du sucre et des blancs, puis ralentissez la vitesse du batteur et continuez de fouetter jusqu'au refroidissement complet de la meringue qui doit être homogène et bien aérée. Si vous n'utilisez pas la meringue tout de suite, réservez-la au réfrigérateur.

Tarte
(aux abricots)

Pour 6 personnes
Préparation : 30 min
+ 1 h 30 pour la pâte
Cuisson : 50 min
Matériel
1 moule carré
(ou un cadre à tarte)
de 24 cm de côté
Ingrédients
400 g de pâte sablée aux amandes (p.177)
200 g de crème d'amandes (p.164)
600 g d'abricots mûrs mais encore fermes
3 cuillerées à soupe de chapelure de biscuits
3 cuillerées à soupe de sucre semoule vanillé

- Préparez la pâte sablée aux amandes.
Roulez la pâte en boule, enveloppez-la dans un film alimentaire et laissez reposer une heure au réfrigérateur.

- Au bout de ce temps de repos, sur le plan de travail légèrement fariné, étalez la pâte sur une épaisseur de 2-3 mm et garnissez le moule beurré en réalisant un bord de 2 cm.
Parez le pourtour, piquez le fond avec une fourchette et réservez au réfrigérateur au moins une demi-heure pour éviter que la pâte ne se rétracte à la cuisson.

- Préchauffez le four à 200 °C.

- Sortez le moule du réfrigérateur, protégez le fond avec une feuille de papier sulfurisé remplie à hauteur de haricots secs, et faites cuire pendant 15 minutes, jusqu'à une légère coloration blonde. Sortez le moule du four, retirez le papier sulfurisé et laissez refroidir sans démouler. Baissez la température du four à 180 °C.

- Pendant ce temps, préparez la crème d'amandes.

- Lavez les abricots, coupez-les en deux dans le sens de la longueur, retirez les noyaux. Tapissez le fond de la tarte de crème d'amandes, saupoudrez de chapelure de biscuits. Disposez les abricots presque à la verticale, en rangées horizontales, peau en dessous, en les faisant se chevaucher. Saupoudrez de sucre vanillé. Remettez au four pendant 30 minutes environ, jusqu'à ce que les abricots soient légèrement caramélisés.

- Laissez tiédir avant de démouler. Dégustez aussitôt.

Variante :
Procédez comme pour la tarte aux abricots mais remplacez la moitié des abricots par 300 g de quetsches. Disposez les abricots presque à la verticale, en couronne sur le bord de la tarte, peau en dessous, en les faisant se chevaucher. Disposez les quetsches au centre, en rosace, peau en dessous, en les faisant se chevaucher. Saupoudrez de sucre vanillé. Faites cuire la tarte 30 minutes environ, jusqu'à ce que les fruits soient légèrement caramélisés. Pensez également aux reines-claudes, mirabelles et fraises des bois, fraises et framboises sur un fond de pâte sablée.

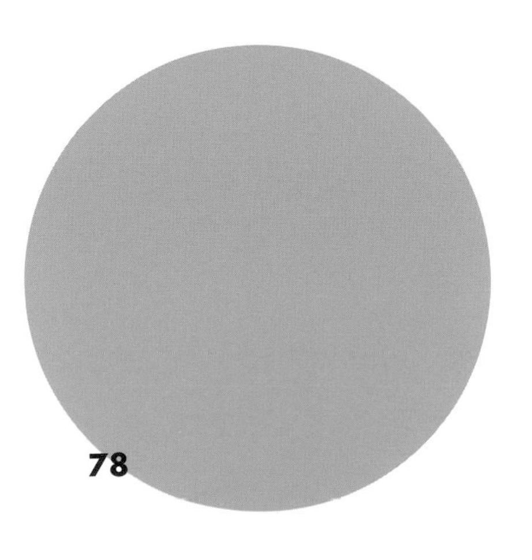

Tartelettes (fraises et mangues)

Pour 6 tartelettes
Préparation : 30 min
+ 1 h 30 pour la pâte
Cuisson : 30 min
Matériel
6 moules à bords droits
et lisses de 8 cm de diamètre
1 emporte-pièce de 8 cm
de diamètre (ou un verre)
Ingrédients
400 g de pâte
« sablé breton »
(p.178)
150 g de crème pâtissière
à la vanille
(p.165)
36 fraises de taille moyenne
2 mangues
Sucre glace
Feuilles de menthe

• Préparez la pâte « sablé breton ».
Pour éviter qu'elle ne colle au rouleau pendant que vous l'étalez, placez-la entre deux feuilles de papier sulfurisé. Abaissez-la sur une épaisseur de 1 cm. Réservez cette feuille au réfrigérateur, pendant une heure au moins, pour la faire durcir et éviter que la pâte ne se rétracte à la cuisson.

• Au bout de ce temps de repos, préchauffez le four à 180 °C.

• Découpez 6 disques à l'aide de l'emporte-pièce (ou du verre retourné). Placez-les dans les moules sans faire de bord et faites les cuire 20 minutes environ, jusqu'à une légère coloration ambrée. Laissez refroidir complètement avant de les démouler.

• Pendant ce temps, préparez la crème pâtissière.

• Lavez les fruits. Équeutez les fraises, coupez-les en deux dans le sens de la longueur. Épluchez et coupez les mangues en tranches assez épaisses que vous détaillerez en bâtonnets ou en petits triangles irréguliers.

• Garnissez les tartelettes de crème pâtissière en dessinant un petit dôme au milieu. Sur le bord, disposez les fraises en couronne, légèrement inclinées vers l'extérieur, pointe vers le haut, en les faisant se chevaucher. Disposez les bâtonnets ou les triangles de mangue pêle-mêle au milieu, sur le petit dôme de crème.

• Saupoudrez de sucre glace et décorez avec des feuilles de menthe avant de servir.

• Dégustez aussitôt.

Tarte
(aux fruits rouges)

Pour 6 personnes
Préparation : 30 min
+ les temps de repos de la pâte feuilletée (à préparer la veille)
Cuisson : 20 min
Matériel
1 moule carré (ou un cadre à tarte) de 24 cm de côté
Ingrédients
400 g de pâte feuilletée
(p.172)
150 g de crème pâtissière au kirsch
(p.165)
800 g de fruits rouges mélangés (fraises, myrtilles, groseilles, cassis, framboises…)
Sucre semoule

• **La veille**, préparez la pâte feuilletée : donnez les 6 tours en respectant bien tous les temps de repos prévus dans la recette. Enveloppez-la dans un film alimentaire et laissez-la reposer 24 heures au réfrigérateur avant de l'utiliser.

• **Le lendemain**, sur le plan de travail légèrement fariné, étalez la pâte sur une épaisseur de 2-3 mm. Garnissez le moule beurré et saupoudré de sucre semoule (pour avoir un fond de tarte caramélisé) en réalisant un bord de 2 cm.
Parez le pourtour, piquez le fond avec une fourchette et réservez au réfrigérateur au moins une demi-heure pour éviter que la pâte ne se rétracte à la cuisson.

• Préchauffez le four à 200 °C.

• Sortez le moule du réfrigérateur, protégez le fond avec une feuille de papier sulfurisé remplie à hauteur de haricots secs et faites cuire pendant 15 minutes, jusqu'à une légère coloration blonde.
Sortez le moule du four, retirez le papier sulfurisé et laissez refroidir avant de démouler.

• Pendant ce temps, préparez la crème pâtissière au kirsch.

• Tapissez le fond de la tarte avec la crème pâtissière totalement refroidie. Disposez les fruits rouges pêle-mêle.

• Pour donner de l'éclat à votre tarte, vous pouvez mettre en valeur certains fruits (groseilles et framboises par exemple), en les faisant rouler dans le sucre semoule, ce qui leur donnera un aspect « givré ».

• Dégustez aussitôt.

Conseil. Lorsque c'est la saison, vous pouvez ajouter, au pêle-mêle de fruits rouges, des petites figues vertes à la peau très fine.

Tartelettes

(aux pommes caramélisées)

Pour 6 tartelettes individuelles
Préparation : 30 min + 24 h au réfrigérateur
Cuisson : 40 min
Matériel
6 moules individuels de 10 cm de diamètre
1 emporte-pièce de 14 cm de diamètre (ou un bol)
Ingrédients
400 g de pâte feuilletée (p.172)
6 belles pommes golden
30 g de beurre
3 cuillerées à soupe rases de sucre semoule
3 cuillerées à soupe de sucre vanillé
Caramel pour la finition préparé à partir de 50 g de sucre (p.160)

• **La veille**, préparez la pâte feuilletée : donnez les 6 tours en respectant bien tous les temps de repos prévus dans la recette. Enveloppez-la dans un film alimentaire et laissez-la reposer 24 heures au réfrigérateur avant de l'utiliser.

• **Le lendemain**, sur le plan de travail légèrement fariné, étalez la pâte sur une épaisseur de 2-3 mm. À l'aide de l'emporte-pièce (ou du bol retourné), découpez 6 disques. Garnissez les moules beurrés et saupoudrés de sucre semoule (pour avoir des fonds de tarte caramélisés) en réalisant un bord de 2 cm. Parez les pourtours, piquez les fonds avec une fourchette et réservez au réfrigérateur au moins une demi-heure pour éviter que la pâte ne se rétracte à la cuisson.

• Préchauffez le four à 200 °C.

• Sortez les moules du réfrigérateur, protégez les fonds avec une feuille de papier sulfurisé remplie à hauteur de haricots secs et faites cuire pendant 10 minutes, jusqu'à une légère coloration blonde. Sortez les moules du four, retirez le papier sulfurisé et laissez refroidir sans démouler. Baissez la température du four à 180 °C.

• Pendant ce temps, lavez, épluchez et évidez les pommes. Coupez-les en petits quartiers (10 ou 12, selon la taille de vos fruits) que vous ferez compoter, à la poêle, avec le beurre et le sucre vanillé. Couvrez. Arrêtez la cuisson dès que vos quartiers de pommes deviennent translucides.

• Garnissez les tartelettes avec les pommes. Remettez au four pendant 15-20 minutes environ. Sortez du four, laissez tiédir avant de démouler.

• Préparez le caramel pour la finition. Posez les tartelettes dans les assiettes de service, puis nappez-les d'une cuillerée à soupe de caramel bien liquide. Pour une tarte de 6 personnes réalisez un chapeau en caramel (p.160).

• Dégustez aussitôt.

Petite histoire. Depuis toujours, les clients de Gérard Mulot appellent cette tartelette aux pommes caramélisées, « tarte Tatin ». Si vous allez chez Gérard Mulot, et voulez déguster « l'originale », ne demandez donc pas une tarte aux pommes caramélisées, mais plutôt une tarte Tatin !

Tartelettes aux pommes et aux noix caramélisées

Procédez de la même manière mais, juste avant de les faire cuire, parsemez les tartelettes de cerneaux de noix (6 cerneaux par tartelette).
Le goût des noix torréfiées viendra renforcer la douceur fondante des pommes…

Tarte (aux pêches de vigne)

Pour 6 personnes
Préparation : 30 min
+ 24 h au réfrigérateur
Cuisson : 50 min
Matériel
1 moule carré
de 24 cm de côté
Ingrédients
400 g de pâte feuilletée
(p.172)

- **La veille**, préparez la pâte feuilletée : donnez les 6 tours en respectant bien tous les temps de repos prévus dans la recette. Enveloppez-la dans un film alimentaire et laissez-la reposer 24 heures au réfrigérateur avant de l'utiliser.
- **Le lendemain**, sur le plan de travail légèrement fariné, étalez la pâte sur une épaisseur de 2-3 mm. Garnissez le moule beurré et saupoudré de sucre semoule (pour avoir un fond de tarte légèrement caramélisé) en réalisant un bord de 2 cm.
Parez le pourtour, piquez le fond avec une fourchette et réservez au réfrigérateur au moins une demi-heure pour éviter que la pâte ne se rétracte à la cuisson.
- Préchauffez le four à 200 °C.
- Sortez le moule du réfrigérateur, protégez le fond avec une feuille

200 g de crème d'amandes
(p.164)
6 belles pêches de vigne, mûres mais encore fermes
2 cuillerées à soupe de sucre semoule
3 cuillerées à soupe sucre semoule vanillé
Pistaches hachées

de papier sulfurisé remplie à hauteur de haricots secs et faites cuire pendant 15 minutes, jusqu'à une légère coloration blonde.
Sortez le moule du four, retirez le papier sulfurisé et laissez refroidir sans démouler. Baissez la température du four à 180 °C.

• Pendant ce temps, préparez la crème d'amandes.

• Lavez les pêches et, sans les éplucher, coupez-les en gros quartiers (6 ou 8 selon la taille de vos fruits) dans le sens de la longueur.

• Tapissez le fond de la tarte de crème d'amandes. Disposez les pêches presque à la verticale, en rangées horizontales, peau en dessous, bien serrées les unes contre les autres mais sans les faire se chevaucher. Saupoudrez de sucre vanillé. Faites cuire la tarte 30 minutes environ, jusqu'à ce que les pêches soient légèrement caramélisées.

• Laissez tiédir avant de démouler. Saupoudrez de pistaches hachées. Dégustez aussitôt.

Secret de Gérard Mulot. N'épluchez pas vos fruits (pêches, abricots, quetsches). Non seulement la peau donne du goût, mais elle contribue au maintien des fruits qui restent entiers et bien droits !

Tarte

(aux poires)

Pour 6 personnes
Préparation : 30 min
+ 1 h 30 pour la pâte
+ 1 nuit de macération
Cuisson : 1 h
Matériel
1 moule rond à fond amovible
(ou un cercle à tarte)
à bords droits et lisses
de 24 cm de diamètre
Ingrédients
400 g de pâte sablée
aux amandes
(p.177)
200 g de crème d'amandes
(p.164)
Poires au sirop
3 belles poires comice
(ou conférence),
mûres mais encore fermes
150 g de sucre
300 g d'eau
Sucre glace

• **La veille**, préparez vos poires au sirop.
Dans une petite casserole, portez à ébullition l'eau et le sucre.
Épluchez les poires, coupez-les en deux et évidez-les. Faites-les pocher dans le sirop frémissant jusqu'à ce que vous puissiez les transpercer avec la pointe d'un couteau. Retirez la casserole du feu et laisser macérer les poires dans le sirop toute la nuit.

• **Le lendemain**, préparez la pâte sablée aux amandes.
Roulez la pâte en boule, enveloppez-la dans un film alimentaire et laissez reposer une heure au réfrigérateur.

• Au bout de ce temps de repos, sur le plan de travail légèrement fariné, étalez la pâte sur une épaisseur de 2-3 mm et garnissez le moule beurré en réalisant un bord de 2 cm.
Parez le pourtour, piquez le fond avec une fourchette et réservez au réfrigérateur au moins une demi-heure pour éviter que la pâte ne se rétracte à la cuisson.

• Préchauffez le four à 220 °C.

• Sortez le moule du réfrigérateur, protégez le fond avec une feuille de papier sulfurisé remplie à hauteur de haricots secs et faites cuire pendant 15 minutes, jusqu'à une légère coloration blonde.
Sortez le moule du four, retirez le papier sulfurisé et laissez refroidir sans démouler.
Baissez la température du four à 180 °C.

• Pendant ce temps, préparez la crème d'amandes.
Égouttez les poires, coupez-les en gros quartiers (6 ou 8, selon la taille de vos fruits) que vous déposerez sur du papier absorbant pour éliminer l'excédent de sirop.

• Tapissez le fond de la tarte avec la crème d'amandes.
Disposez les quartiers de poire en rosace. Au milieu de la tarte, avec des lamelles de poires très fines, dessinez une petite fleur.
Faites cuire 30 minutes environ : la crème d'amandes doit être prise.

• Laissez la tarte tiédir avant de la démouler.
Saupoudrez-la de sucre glace et dégustez aussitôt.

Tarte
(poires et figues)

Pour 6 personnes
Préparation : 30 min
+ 1 h 30 pour la pâte
+ 1 nuit de macération
des poires dans le sirop
Cuisson : 1 h
Matériel
1 moule rond à fond amovible
(ou un cercle à tarte)
à bords droits et lisses
de 24 cm de diamètre
Ingrédients
400 g de pâte sablée aux amandes
(p.177)
200 g de crème d'amandes
à la pistache
180 g de crème d'amandes (p.164)
20 g de pâte de pistaches
Poires au sirop
3 grosses poires comice
(ou conférence),
mûres mais encore fermes
150 g de sucre
300 g d'eau
300 g de petites figues noires
Sucre glace

• **La veille**, préparez les poires au sirop.
Dans une petite casserole, portez à ébullition l'eau et le sucre. Épluchez les poires, coupez-les en deux et évidez-les. Faites-les pocher dans le sirop frémissant jusqu'à ce que vous puissiez les transpercer avec la pointe d'un couteau. Retirez la casserole du feu et laisser macérer les poires dans le sirop toute la nuit.

• **Le lendemain**, préparez la pâte sablée aux amandes.
Roulez la pâte en boule, enveloppez-la dans un film alimentaire et laissez reposer une heure au réfrigérateur.

• Au bout de ce temps de repos, sur le plan de travail légèrement fariné, étalez la pâte sur une épaisseur de 2-3 mm et garnissez le moule beurré en réalisant un bord de 2 cm.
Parez le pourtour, piquez le fond avec une fourchette et réservez au réfrigérateur au moins une demi-heure pour éviter que la pâte ne se rétracte à la cuisson.

• Préchauffez le four à 220 °C.

• Sortez le moule du réfrigérateur, protégez le fond avec une feuille de papier sulfurisé remplie à hauteur de haricots secs et faites cuire pendant 15 minutes, jusqu'à une légère coloration blonde. Sortez le moule du four, retirez le papier sulfurisé et laissez refroidir sans démouler.
Baissez la température du four à 180 °C.

• Pendant ce temps, préparez la crème d'amandes et mélangez-la à la pâte de pistaches.
Égouttez les poires, coupez-les en gros quartiers (6 ou 8, suivant la taille de vos fruits) que vous déposerez sur du papier absorbant pour éliminer l'excédent de sirop. Rincer les figues. Coupez-les en deux dans le sens de la longueur, sauf une.

• Tapissez le fond de la tarte avec la crème d'amandes pistachée. Disposez les quartiers de poire en rosace en les alternant avec des moitiés figues, rangées peau en dessous. Au milieu de la tarte, posez la figue entière incisée en 4. Faites cuire 30 minutes environ : la crème d'amandes doit être prise.

• Laissez la tarte tiédir avant de la démouler. Saupoudrez de sucre glace avant de servir.

Secret de Gérard Mulot. Les figues noires de Solliès ont la peau très fine et la pulpe rouge et très parfumée. Elles sont particulièrement adaptées à cette recette. Dans tous les cas, choisissez des fruits de petite taille, à la peau fine, et mûrs.

Tarte aux poires et pamplemousses
Remplacez les figues par des quartiers de pamplemousse rose pelé à vif.

Tarte
(fine à l'orange maltaise, façon crumble)

Pour 6 personnes
Préparation : 30 min
+ les temps de repos de la pâte feuilletée (à préparer la veille)
+ 1 h au réfrigérateur
Cuisson : 50 min
Matériel
1 cercle à tarte (ou 1 assiette) de 24 cm de diamètre
2 plaques de cuisson superposables
Ingrédients
300 g de pâte feuilletée (p.172)
1 cuillerée à soupe de sucre semoule
1 cuillerée à soupe de sucre glace
Crumble
125 g de farine
50 g de sucre semoule (ou de sucre roux)
100 g de beurre
Pistaches en poudre
4 oranges maltaises non traitées
Sucre glace (pour la finition)

• **La veille**, préparez la pâte feuilletée. Donnez les six tours, en respectant bien les temps de repos prévus dans la recette. Enveloppez-la dans un film alimentaire et laissez-la reposer 24 heures au réfrigérateur avant de l'utiliser.

• **Le lendemain**, sur le plan de travail légèrement fariné, abaissez le feuilletage finement en un disque de 24 cm de diamètre (utilisez un cercle à tarte, ou une grande assiette retournée, et un couteau bien aiguisé pour la découpe). Posez le disque de pâte sur une feuille de papier sulfurisé et réservez au réfrigérateur 1 heure au moins, pour éviter que la pâte ne se rétracte à la cuisson.

• Pendant ce temps, préparez le crumble. Dans un petit saladier, mélangez rapidement la farine, le sucre, les pistaches en poudre et le beurre froid, coupé en petits morceaux. Évitez de trop pétrir : votre crumble doit ressembler à une chapelure rustique. Réservez-le au réfrigérateur au moins 1 heure avant de l'utiliser.

• Préchauffez le four à 180 °C.
Sortez le disque de pâte du réfrigérateur et, avec son papier, posez-le sur une plaque de cuisson. Piquez-le avec une fourchette, saupoudrez de sucre semoule. Couvrez-le d'une feuille de papier sulfurisé, posez dessus une autre plaque qui empêchera le feuilletage de gonfler. Faites cuire 15 minutes environ, jusqu'à une légère coloration blonde. Sortez la plaque du four, portez la température à 230 °C.
Retournez le feuilletage sur son papier de cuisson, saupoudrez-le de sucre glace et faites-le caraméliser au four pendant 3-4 minutes.
Laissez le feuilletage refroidir complètement avant de confectionner la tarte. Baissez la température du four à 180 °C.

• Détaillez les oranges en fines rondelles.

• Tapissez le disque de feuilletage avec la crème d'amandes. Dessus, disposez les rondelles d'orange en rosace, en les faisant se chevaucher. Arrêtez-vous à un demi-centimètre du bord. Saupoudrez de crumble, grossièrement émietté. Remettez la tarte au four pendant 30 minutes environ, jusqu'à ce que les oranges et le crumble soient légèrement caramélisés.

• Laissez tiédir avant de démouler la tarte.
Saupoudrez de sucre glace juste avant de déguster.

Tarte
(paysanne aux pommes)

Pour 6 personnes
Préparation : 30 min
Cuisson : 45 min
Matériel
1 moule carré
(ou un cadre à tarte)
de 24 cm de côté
1 pinceau
Ingrédients
400 g de pâte feuilletée
(p.172)
6 belles pommes golden
30 g de beurre fondu
2 cuillerées à soupe
de sucre semoule
3 cuillerées à soupe
de sucre vanillé

• **La veille**, préparez la pâte feuilletée : donnez les 6 tours en respectant bien tous les temps de repos prévus par la recette. Enveloppez-la dans un film alimentaire et laissez-la reposer 24 heures au réfrigérateur avant de l'utiliser.

• **Le lendemain**, sur le plan de travail légèrement fariné, étalez la pâte sur une épaisseur de 2-3 mm. Garnissez le moule beurré et saupoudré de sucre semoule (pour avoir un fond de tarte caramélisé) en réalisant un bord de 2 cm.
Parez le pourtour, piquez le fond avec une fourchette et réservez au réfrigérateur au moins une demi-heure pour éviter que la pâte ne se rétracte à la cuisson.

• Préchauffez le four à 200 °C.

• Sortez le moule du réfrigérateur, protégez le fond avec une feuille de papier sulfurisé remplie à hauteur de haricots secs et faites cuire pendant 15 minutes, jusqu'à une légère coloration blonde.
Sortez le moule du four, retirez le papier sulfurisé et laissez refroidir sans démouler.
Baissez la température du four à 180 °C.

• Pendant ce temps, épluchez et évidez les pommes, coupez-les en gros quartiers (6 ou 8, selon la taille de vos fruits) que vous disposerez sur le fond de la tarte en rangées horizontales, côté arrondi vers le haut, bien serrés les uns contre les autres mais sans chevauchement. Rehaussez le centre de la tarte d'une deuxième rangée de pommes. Badigeonnez de beurre fondu, saupoudrez de sucre vanillé. Remettez au four pendant 30 minutes environ, jusqu'à ce que les pommes deviennent fondantes.

• Laissez tiédir avant de démouler. Dégustez aussitôt.

Zanzibar

Pour 6 personnes
Préparation : 30 min
+ 4 h au réfrigérateur
Cuisson : 25 min
Matériel
6 verres de 8 cm de diamètre
1 thermomètre à sucre
(jusqu'à 200 °C)
Gelée de mûres
350 g de coulis de mûre surgelé
70 de purée de mûre surgelée
4 g de gélatine
Ingrédients
Mousse mascarpone et réglisse
4 jaunes d'œufs
2 cuillerées à soupe d'eau
50 g de sucre semoule
20 cl de crème fleurette
200 g de mascarpone
2 g de gélatine
quelques gouttes de concentré de réglisse liquide
1 barquette de framboises
Coulis de mûre pour la finition (ou des petites branches de groseilles pour décorer les verres)

• Préparer la gelée de mûre.
Faites tremper les feuilles de gélatine dans l'eau froide.
Faites chauffer le coulis et la purée de mûre avec le sucre.
Retirez du feu et incorporez les feuilles de gélatine essorées.
Mélangez bien pour faciliter l'incorporation et obtenir une gelée bien homogène. Repartissez-la dans les verres. Réservez-les au réfrigérateur au moins 2 heures pour laisser durcir la gelée.

• Préparez la mousse mascarpone et réglisse.

• Dans un petit saladier, battez les jaunes d'œuf.
Dans une petite casserole, faites cuire le sucre avec 2 cuillerées à soupe d'eau jusqu'à 121 °C. Versez le sucre cuit sur les œufs et continuez de fouetter jusqu'au refroidissement complet de la préparation : elle doit doubler de volume.

• Faites tremper la gélatine dans l'eau froide.
Dans une petite casserole, faites chauffer 10 cl de crème fleurette dans laquelle vous incorporerez la gélatine essorée. Laissez tiédir avant de mélanger cette crème au mascarpone pour l'assouplir.
Parfumez subtilement à la réglisse.

• Fouettez le reste de crème fleurette en chantilly mousseuse.

• Incorporez la préparation à base de jaunes d'œuf à la crème montée.
Ajoutez presque aussitôt le mascarpone. Mélangez avec une spatule, en soulevant délicatement la masse d'un mouvement circulaire : votre mousse doit être homogène et bien aérée.

• Répartissez-la dans les verres, parsemez de framboises entières.
Réservez au réfrigérateur au moins 2 heures avant la dégustation.

• Au moment de servir, déposez sur chaque verre une cuillerée à soupe de coulis de mûre (ou décorez les verres avec des petites branches de groseilles). Dégustez aussitôt.

Secret de Gérard Mulot. Dans la préparation de ses mousses, Gérard Mulot n'incorpore jamais les jaunes d'œuf crus, mais préfère les faire cuire, comme ici, en versant dessus le sucre très chaud. Ce petit geste en plus donnera à votre mousse une onctuosité incomparable...

Se faire
plaisir
en chocolat

Religieuses (au chocolat)

Pour 6 religieuses
Préparation : 45 min
Cuisson : 45 min
Matériel
3 poches à douille
1 douille unie n° 14
1 douille unie n° 6
1 petite douille cannelée
Ingrédients
250 g de pâte à choux
préparée à partir de 125 g de lait (p.170)
300 g de crème pâtissière au chocolat
(p.165)
Glaçage au chocolat
400 g de fondant blanc (vous pouvez l'acheter chez votre pâtissier)
3 cuillerées à soupe d'eau
3 cuillerées à soupe de cacao en poudre
50 cl de ganache au chocolat
pour la finition (p.163)

• Préchauffez votre four à 200 °C.

• Préparez la pâte à choux. À l'aide d'une poche munie de la douille n° 14 dressez 6 gros choux de 5 cm de diamètre (le corps des religieuses, environ 30 g de pâte chacun) sur une plaque revêtue de papier sulfurisé, et 6 petits choux (les têtes des religieuses, environ 10 g de pâte chacune) sur une autre plaque. Laissez suffisamment d'espace entre les choux pour qu'ils puissent gonfler et cuire correctement.

• Faites cuire aussitôt : 20 minutes pour les petits choux, 30 minutes pour les plus gros. Après 10 minutes de cuisson, entrouvrez la porte du four pour permettre à la vapeur de s'échapper et à la pâte de bien sécher.

• La cuisson terminée, laissez les choux refroidir avant de les décoller. Avec la pointe d'un couteau, percez un petit trou à la base de chaque chou.

• Préparez la crème pâtissière au chocolat. Remplissez une poche munie de la douille n° 6 et garnissez les religieuses par le petit trou percé à la base (environ 40 g de crème pâtissière pour le corps des religieuses et 10 g pour la tête). Réservez-les sur une grille à l'envers, pour que la crème ne coule pas.

• Préparez le glaçage. Dans une petite casserole, réchauffez le fondant, avec l'eau, à feu doux (ou au four à micro-ondes : dans ce cas utilisez plutôt un bol micro-ondable). Ajoutez le cacao en poudre mélangez avec une spatule en évitant d'incorporer de l'air. Le glaçage est prêt lorsque le fondant a une texture souple et lisse : ni trop épais, ni trop liquide, il doit pouvoir s'étaler facilement sans couler. Retirez la casserole du feu et glacez les religieuses aussitôt.

• Trempez le dessus des choux dans le fondant et éliminez l'excédent en passant très vite un doigt sur le glaçage.

• Montez les religieuses : un gros chou surmonté par un petit chou.

• Préparez la ganache au chocolat. Laissez refroidir puis, à l'aide d'une poche munie de la petite douille cannelée, décorez la collerette des religieuses avec des petites flammes de ganache au chocolat.

• Dégustez les religieuses sans plus attendre !

Secret de pâtissier. Le glaçage des pièces à base de pâte à choux est une opération assez délicate : si le fondant est trop chaud et donc trop liquide, le glaçage sera transparent et terne ; s'il est trop froid et donc trop épais, il sera difficile à étaler. Sa température idéale d'utilisation est de 35 °C. Prenez sa température avec le bout de votre index : si, au toucher, vous ressentez une légère sensation de tiédeur, le fondant est prêt !

Religieuse (au café)

Procédez de la même manière mais remplacez la crème pâtissière au chocolat par la même quantité de crème pâtissière au café. Préparez un glaçage au café en ajoutant au fondant blanc 1 cuillerée à soupe d'eau et 1 cuillerée à café d'extrait naturel de café, ou 1 cuillerée à soupe de café lyophilisé dilué dans 1 cuillerée à café d'eau.

Tarte
(au chocolat noir)

Pour 6 personnes
Préparation : 25 min
+ 2 h 30 de repos
Cuisson : 20 min
Matériel
1 moule rond à bords droits
et lisses de 22 cm de diamètre
Ingrédients
350 g de pâte sablée chocolat (p.178)
Ganache chocolat café
175 g de crème fleurette
175 g de chocolat à 74 % de cacao
1 cuillerée à café
de café lyophilisé
35 g de beurre

• Préparez la pâte sablée chocolat (vous pouvez la préparer la veille). Roulez la pâte en boule, enveloppez-la dans un film alimentaire et laissez-la reposer une heure au réfrigérateur.

• Au bout de ce temps de repos, sortez la pâte du réfrigérateur, laissez-la 10 minutes à température ambiante puis, sur le plan de travail légèrement fariné, étalez-la sur une épaisseur de 2-3 mm. Garnissez le moule beurré en réalisant un bord de 2 cm. Parez le pourtour, piquez le fond avec une fourchette et réservez au réfrigérateur au moins une demi-heure pour éviter que la pâte ne se rétracte à la cuisson.

• Préchauffez le four à 180 °C.

• Sortez le moule du réfrigérateur, protégez le fond avec une feuille de papier sulfurisé remplie à hauteur de haricots secs et faites cuire pendant 20 minutes : la pâte chocolatée doit être bien cuite. Sortez le moule du four, retirez le papier sulfurisé et laissez refroidir avant de démouler.

• Préparez la ganache chocolat café.
Avec un petit couteau, hachez le chocolat. Dans une petite casserole, portez la crème fleurette à ébullition puis ajoutez le café lyophilisé. Versez la crème sur le chocolat, mélangez lentement avec une spatule en évitant d'incorporer de l'air, ce qui rendrait votre ganache moins brillante. Laissez tiédir avant d'incorporer le beurre coupé en petits morceaux, en faisant tourner la ganache lentement. Versez-la sur le fond de tarte, tapotez légèrement pour lisser la surface et laissez durcir, pendant une heure, à température ambiante.

• Dégustez sans tarder !

Secret de pâtissier. Prenez la température de la ganache avec le bout de votre index : si, au toucher, vous ressentez une légère sensation de tiédeur, vous pouvez incorporer le beurre. Le respect de cette température est important : si la ganache est trop chaude ou trop froide quand vous ajoutez le beurre, elle risque de perdre son aspect souple et homogène.

Tarte
(au chocolat au lait)

Pour 6 personnes
Préparation : 25 min
Cuisson : 25 min
à préparer au moins
1 h avant la dégustation
Matériel
1 moule rond à bords droits
et lisses (ou un cercle à tarte)
de 22 cm de diamètre
Ingrédients
350 g de pâte sablée
chocolat (p.178)
Ganache chocolat au lait
240 g de chocolat au lait
de très bonne qualité
20 cl de crème fleurette
2 jaunes d'œufs
30 g de sucre semoule
10 g de beurre

• Préparez la pâte sablée chocolat (vous pouvez la préparer la veille).
Roulez la pâte en boule, enveloppez-la dans un film alimentaire
et laissez-la reposer 1 heure au réfrigérateur.

• Au bout de ce temps de repos, sortez la pâte du réfrigérateur, laissez-la
10 minutes à température ambiante puis, sur le plan de travail légèrement
fariné, étalez-la sur une épaisseur de 2-3 mm. Garnissez le moule beurré
en réalisant un bord de 2 cm.
Parez le pourtour, piquez le fond avec une fourchette et réservez au réfrigérateur
au moins une demi-heure pour éviter que la pâte ne se rétracte à la cuisson.

• Préchauffez le four à 180 °C.

• Sortez le moule du réfrigérateur, protégez le fond avec une feuille
de papier sulfurisé remplie à hauteur de haricots secs et faites cuire pendant
20 minutes : la pâte chocolatée doit être bien cuite.
Sortez le moule du four, retirez le papier sulfurisé et laissez refroidir
avant de démouler.

• Préparez la ganache chocolat au lait.
Avec un petit couteau, hachez le chocolat.
Dans une petite casserole, faites bouillir la crème.
Dans un bol, fouettez les jaunes d'œufs avec le sucre jusqu'à ce que
le mélange blanchisse. Versez progressivement la crème encore bouillante
sur les jaunes. Mélangez bien et remettez dans la casserole.
Faites cuire la crème à feu doux, sans cesser de remuer, jusqu'à ce qu'elle
devienne onctueuse et « nappe » la spatule : trempez la spatule
dans la crème et, avec votre index, faites un trait qui doit rester visible.
En aucun cas, la crème ne doit bouillir.
Versez-la sur le chocolat en deux fois, mélangez lentement avec une spatule
en évitant d'y incorporer de l'air, ce qui rendrait votre ganache moins
brillante. Laissez tiédir avant d'incorporer le beurre coupé en petits morceaux,
en faisant tourner la ganache lentement. Versez-la sur le fond de tarte,
tapotez légèrement pour lisser la surface et laissez durcir, pendant une heure,
à température ambiante.

• Dégustez sans tarder !

Secret de Gérard Mulot. Vous pouvez personnaliser
le goût de vos tartes au chocolat en laissant infuser, dans la crème
fleurette portée à ébullition, une petite branche de thym ou de romarin,
ou de l'anis étoilé.

Sablés (au chocolat)

Pour 60 sablés environ
Préparation : 15 min
+ 1 h au réfrigérateur
Cuisson : 10 min
Ingrédients
250 g de farine
160 g de beurre doux
à température ambiante
25 g de beurre demi-sel
à température ambiante
15 g de cacao en poudre
115 g de sucre glace
1 œuf
1 cuillerée à café de sucre vanillé

• Dans un saladier, travaillez ensemble le beurre doux et le demi-sel, le cacao et le sucre glace et vanillé. Incorporez la farine et l'œuf, puis mélangez jusqu'à obtention d'une pâte lisse et homogène. Faites reposer la pâte 1 heure au réfrigérateur, pour éviter qu'elle ne se rétracte à la cuisson.

• Préchauffez le four à 210 °C.

• Coupez la pâte en deux. Avec chaque morceau, confectionnez un rouleau de 4 cm de diamètre que vous couperez en rondelles de 1 cm d'épaisseur. Disposez-les sur une plaque revêtue de papier sulfurisé. Faites cuire 15 minutes environ.

• Laissez refroidir et dégustez sans attendre.

Sablés à la vanille

Procédez de la même manière, mais remplacez le cacao en poudre par les grains d'une gousse de vanille fendue et grattée.

Charlotte (au chocolat)

Pour 6 personnes
Préparation : 45 min
+ 5 h au réfrigérateur
Cuisson : 10 min
à préparer 1 journée
avant la dégustation
Matériel
1 moule à charlotte
de 22 cm de diamètre
Ingrédients
20 biscuits à la cuillère
(p.16)
Crème au chocolat
15 cl de lait
1 gousse de vanille
35 g de sucre semoule
3 jaunes d'œufs
8 g de gélatine
165 g de chocolat noir
à 63 % de cacao
25 cl de crème fleurette
Sirop au cacao
40 g de sucre
7 cuillerées à soupe d'eau
1 cuillerée à soupe de cacao
en poudre
Copeaux de chocolat
pour le décor

• Réservez la crème fleurette au réfrigérateur pour qu'elle soit bien froide au moment où vous la fouettez.

• Préparez le sirop au cacao qui servira à imbiber les biscuits. Dans une petite casserole, faites bouillir l'eau avec le sucre pendant 1 minute. Retirez du feu, ajoutez le cacao en poudre, mélangez bien. Réservez.

• Préparez la crème au chocolat. Faites tremper les feuilles de gélatine dans l'eau froide. Avec un petit couteau, hachez le chocolat.
Faites bouillir le lait avec 1 cuillerée à soupe de sucre et la vanille, fendue et grattée.
Fouettez les jaunes d'œufs avec le reste du sucre. Ajoutez le lait encore chaud, mélangez bien. Remettez dans la casserole et faites cuire la crème à feu doux, sans cesser de remuer, jusqu'à ce qu'elle devienne onctueuse et « nappe » la spatule : trempez la spatule dans la crème et, avec votre index, faites un trait qui doit rester visible. En aucun cas, la crème ne doit bouillir.
Retirez la vanille et, hors du feu, incorporez les feuilles de gélatine essorées tout en mélangeant pour faciliter l'incorporation.
Versez la crème encore chaude sur le chocolat haché. Travaillez à la spatule pour qu'elle devienne lisse et onctueuse.
Laissez tiédir avant d'incorporer délicatement la crème fleurette fouettée en chantilly en deux fois : 1/3 pour commencer, puis les 2/3 restants.
Cette précaution vous permettra d'obtenir une crème sans grumeaux et bien aérée.

• Montez votre charlotte.
Filmez le moule : cette précaution facilitera le démoulage. Tapissez les bords du moule de biscuits à la cuillère bien serrés les uns contre les autres mais sans chevauchement, puis tapissez le fond du moule. Imbibez les biscuits avec le sirop au cacao. Remplissez le moule, à hauteur des biscuits, avec la crème au chocolat parsemée de copeaux de chocolat (pour les fabriquer, râpez votre tablette avec un éplucheur à légumes).
Tapotez le moule pour lisser la surface de la charlotte. Recouvrez d'un film alimentaire et réservez au réfrigérateur (au moins 5 heures) pour laisser durcir la crème.

• Au moment de la dégustation, retournez le moule sur le plat de service. Décorez la charlotte avec des copeaux de chocolat, dégustez aussitôt.

Conseil. Vous pouvez accompagner cette charlotte d'une crème anglaise à la vanille (p.167).

Mousse
(au chocolat sortilège)

Pour 6 personnes
Préparation : 25 min
+ 2 h au réfrigérateur
Cuisson : 15 min
Matériel
6 verres
1 thermomètre à sucre
(jusqu'à 200 °C)
Ingrédients
Appareil à bombe
4 jaunes d'œufs
80 g de sucre
3 cuillerées à soupe d'infusion
de thé à la mûre
Crème mûre - framboise
70 g de purée de mûres surgelée
70 g de purée de framboises surgelée
220 g de chocolat d'origine Manaus
6 g de gélatine
40 cl de crème fleurette
Quelques mûres
et quelques framboises
pour décorer les verres

- Avec un petit couteau, hachez le chocolat.
- Préparez le thé en laissant infuser les feuilles 2-3 minutes dans l'eau bouillante. Filtrez.
- Préparez un bain-marie bien chaud.
- Faites tremper les feuilles de gélatine dans 2 cuillerées à soupe d'eau froide et, au bain-marie, faites fondre les purées de fruits rouges, puis le chocolat. Le mélange doit atteindre 45 °C (prenez la température avec le bout de votre index : si, au toucher, vous ressentez une légère sensation de chaleur, le mélange est à la bonne température). Incorporez la gélatine essorée, mélangez bien : votre préparation chocolatée doit être homogène. Gardez-la dans le bain-marie éteint pour qu'elle reste fluide sans être chaude.
- Dans un petit saladier, battez les jaunes d'œufs. Dans une petite casserole, faites cuire le sucre avec 3 cuillerées à soupe de thé jusqu'à 121 °C. Versez le sucre cuit sur les œufs et continuez de fouetter jusqu'au refroidissement complet de la préparation : elle doit doubler de volume.
- Fouettez la crème fleurette en chantilly mousseuse.
- Incorporez la préparation à base de jaunes d'œufs à la crème montée. Ajoutez presque aussitôt la préparation chocolatée. Mélangez avec une spatule, en soulevant délicatement la masse d'un mouvement circulaire : votre mousse doit être homogène et bien aérée.
- Répartissez-la dans les verres, parsemez de mûres et de framboises entières. Réservez au réfrigérateur au moins 2 heures avant la dégustation.
- Au moment de servir, décorez les verres avec des fruits rouges. Dégustez aussitôt.

Etna

(fondant au chocolat noir)

Pour 12 gâteaux individuels
Préparation : 30 min
Cuisson : 15 min
Matériel
12 moules « pyramide » individuels, en silicone
Ingrédients
50 g de chocolat à 67% de cacao
200 g de chocolat à 53% de cacao
200 g de beurre
100 g de sucre glace
50 g de poudre d'amandes
1 sachet de levure chimique
4 œufs

- Préchauffez le four à 180 °C.
- Avec un petit couteau, hachez les chocolats. Faites-les fondre avec le beurre au bain-marie.
- Hors du feu, incorporez le sucre glace, la poudre d'amandes et la levure chimique. Ajoutez les œufs à la fin, un à un. Mélangez bien, en vous aidant d'une spatule, jusqu'à obtenir une pâte lisse et homogène.
- À l'aide d'une petite louche, répartissez la pâte dans les moules. Faites cuire 15 minutes : à l'intérieur, les gâteaux doivent rester fondants. Laissez tiédir avant de les démouler.
- Dégustez aussitôt car les fondants au chocolat sont meilleurs tièdes.

Petite histoire. Pourquoi ce gâteau s'appelle-t-il Etna ? Lors d'un voyage en Sicile, Gérard Mulot a été fasciné par la vision de l'Etna en éruption. Ce gâteau est donc un hommage sucré au volcan sicilien, qu'il évoque par sa forme et le fondant tiède de son intérieur

Mousse

(chocorange)

Pour 6 personnes
Préparation : 25 min
+ 2 h au réfrigérateur
Cuisson : 15 min
Matériel
6 verres
Ingrédients
35 cl de crème fleurette
35 cl de lait frais entier
Zestes de 2 oranges non traitées
130 g de sucre semoule
8 petits jaunes d'œufs
300 g de chocolat noir
d'origine Caraïbes
Quelques cristallines d'orange
(p.151) pour décorer les verres

• Avec un petit couteau, hachez le chocolat.

• Dans une casserole, portez à ébullition la crème avec le lait et les zestes d'orange. Retirez du feu, couvrez et laissez infuser.

• Pendant ce temps, dans un bol, fouettez les jaunes d'œufs avec le sucre jusqu'à ce que le mélange blanchisse. Versez progressivement le lait et la crème, chauds, sur les jaunes, en mince filet.
Mélangez bien, remettez dans la casserole et faites cuire cette préparation à feu doux, sans cesser de remuer, jusqu'à ce qu'elle devienne onctueuse et « nappe » la spatule : trempez la spatule dans la crème et, avec votre index, faites un trait qui doit rester visible. En aucun cas, la crème ne doit bouillir.

• Versez la moitié de cette crème sur le chocolat. Couvrez, attendez une minute, fouettez. Versez le reste de la crème sans cesser de fouetter. Arrêtez de mélanger dès que la texture de la mousse est homogène.

• Répartissez la mousse dans les verres, réservez au réfrigérateur au moins 2 heures avant la dégustation.

• Au moment de servir, décorez les verres avec des cristallines d'orange. Dégustez aussitôt.

Coco

(chocolat)

Pour 10 gâteaux individuels
Préparation : 15 min
+ 1 h pour la pâte
Cuisson : 20 min
Matériel
10 moules semi-sphériques
individuels de 7 cm de diamètre,
en silicone
2 poches à douille
1 douille unie n° 12
1 douille unie n° 6
Ingrédients
Ganache chocolat
2 cuillerées à soupe bien remplies de
crème fleurette
50 g de chocolat à 53 % de cacao
75 g de confiture d'abricots
Pâte à la noix de coco
80 g de sucre semoule
65 g de farine
1 cuillerée à café bombée
de levure chimique
1 cuillerée à café bombée
de sucre vanillé
40 g de miel
100 g de lait entier frais
2 œufs
100 g de noix de coco râpée
80 g de beurre

• Préparez la pâte à la noix de coco.
Dans un saladier, mélangez tous les ingrédients (dans l'ordre de présentation, sauf le beurre) jusqu'à obtenir une pâte homogène. Laissez cette pâte reposer au réfrigérateur une heure, avant de l'utiliser.

• Pendant ce temps, préparez la ganache chocolat.
Avec un petit couteau, hachez le chocolat. Dans une petite casserole, à feu doux, chauffez la confiture d'abricots ; dans une autre casserole, portez à ébullition la crème liquide. Versez la crème sur le chocolat : mélangez doucement, avec la spatule et, tout en remuant, incorporez la confiture encore chaude. Vous devez obtenir une ganache lisse et onctueuse. Réservez-la à température ambiante.

• Préchauffez le four à 180 °C.

• Dans une petite casserole (ou au four à micro-ondes), faites fondre le beurre.

• Sortez la pâte du réfrigérateur. Incorporez le beurre fondu, mais refroidi, et travaillez la pâte jusqu'à ce qu'elle redevienne homogène.

• À l'aide d'une poche munie de la douille n° 12, garnissez les moules aux 2/3. Remplissez la poche munie de la douille n° 6 avec la ganache : enfoncez la douille dans les petits gâteaux pour y déposer une noix de ganache. Sortez la douille et, au-dessus de chaque gâteau, dessinez une petite spirale de chocolat.

• Faites cuire 20 minutes environ : le coco-chocolat doit rester fondant. Sortez la plaque du four et laissez les gâteaux tiédir avant de les démouler. Dégustez aussitôt.

Brownie

(aux fruits secs et aux pommes caramélisées)

Pour 6 personnes
Préparation : 30 min
Cuisson : 40 min
Matériel
6 moules ronds individuels
de 10 cm de diamètre
(ou un moule carré
de 22 cm de côté)
1 tapis de cuisson en silicone
(facultatif)
Ingrédients
Brownie
70 g de chocolat à 67 % de cacao
125 g de beurre
150 g de sucre semoule
75 g de farine
1 cuillerée à café bien remplie
de cacao amer en poudre
1/2 sachet de levure chimique
2 œufs
12 noisettes entières
Pommes caramélisées
2 pommes golden
70 g de sucre semoule
35 g de beurre

• Préchauffez le four à 180 °C.

• Faites torréfier les noisettes au four, sur une plaque revêtue de papier sulfurisé, pendant 2-3 minutes. Laissez refroidir.

• Épluchez et évidez les pommes, coupez-les en quartiers (12 par pomme) que vous disposerez sur une plaque revêtue de papier sulfurisé (ou sur le tapis de cuisson en silicone).
Avec le sucre, préparez un caramel à sec : dans une petite casserole, à feu doux, faites cuire le sucre sans ajouter d'eau ; dès que le caramel prend une belle couleur ambrée, retirez du feu et incorporez le beurre. Versez ce caramel sur les quartiers de pomme. Passez-les au four pendant 15 minutes, pour qu'ils deviennent fondants. Sortez la plaque du four et laissez refroidir.

• Préparez le brownie.
Avec un petit couteau, hachez le chocolat et faites-le fondre avec le beurre au bain-marie. Hors du feu, tout en fouettant, ajoutez dans l'ordre : le sucre, la farine, le cacao en poudre et la levure chimique.
Mélangez jusqu'à obtenir une pâte bien lisse. Incorporez les œufs. Travaillez jusqu'à ce que la pâte retrouve une texture souple et bien homogène.
Versez cette préparation dans les moules beurrés.
Décorez avec les fruits secs torréfiés et les pommes caramélisées. Faites cuire 15 minutes environ. Vérifiez la cuisson en introduisant dans le brownie la lame d'un couteau qui doit ressortir légèrement humide : le brownie doit rester fondant à l'intérieur.

• Laissez refroidir complètement les brownies avant de les démouler. Dégustez aussitôt.

Côte d'Ivoire

Pour 6 personnes
Préparation : 20 min
Cuisson : 45 min
Matériel
1 moule à cake de 18 cm
Ingrédients
100 g de chocolat mi-amer
à 63 % de cacao
100 g de beurre
à température ambiante
3 jaunes d'œufs
100 g de sucre glace
50 g de farine
40 g d'amandes en poudre
3 blancs d'œufs
2 cuillerées à soupe
de sucre semoule

• Avec un petit couteau, hachez le chocolat. Faites-le fondre avec le beurre dans un bain-marie bien chaud : le mélange doit atteindre 45 °C (prenez la température avec le bout de votre index : si, au toucher, vous ressentez une légère sensation de chaleur, le mélange est à la bonne température).

• Dans un saladier, travaillez les jaunes d'œufs avec le sucre glace, la farine et les amandes en poudre. Incorporez progressivement le chocolat et le beurre fondus. Arrêtez de mélanger dès que la préparation est lisse et homogène.

• Préchauffez le four à 180°C.

• Dans un bol, fouettez les blancs en neige ferme avec 2 cuillerées à soupe de sucre semoule. Incorporez-les à la préparation chocolatée, en la soulevant délicatement d'un mouvement circulaire, avec une spatule.

• Versez la pâte dans le moule beurré et fariné.

• Faites cuire 45 minutes environ. Vérifiez la cuisson en introduisant dans le gâteau la lame d'un couteau, qui doit ressortir sèche.

• Sortez le moule du four, laissez le gâteau tiédir avant de le démouler.

• Le Côte d'Ivoire se déguste tiède, ou à température ambiante, coupé en tranches fines. Il accompagne à la perfection une dégustation de glaces : vanille, cannelle, pistache, caramel, …

Conseil. Le Côte d'Ivoire se conserve plusieurs jours, au réfrigérateur, enveloppé dans un film alimentaire ou dans une feuille de papier d'aluminium.
Sortez-le du réfrigérateur au moins une demi-heure avant la dégustation.

Madras

Pour 20 carrés Madras
Préparation : 40 min
1/2 journée pour laisser durcir le chocolat
Cuisson : 30 min
Matériel
1 cadre à tarte de 20 cm x 20 cm
1 thermomètre à chocolat (jusqu'à 80 °C)
1 cutter
1 règle graduée

- Blanchissez les fruits secs en les plongeant 1 ou 2 minutes dans l'eau bouillante. Égouttez-les et retirez la peau.
- Faites-les torréfier sous le gril du four, sur une plaque revêtue de papier sulfurisé, pendant 3 minutes. Laissez refroidir.
- Posez le cadre à tarte sur une plaque revêtue de papier sulfurisé.
- Avec un petit couteau, hachez le chocolat. Faites-le fondre complètement dans un bain-marie frémissant. Vérifiez la température du chocolat avec un thermomètre de cuisson : dès qu'elle atteint 53-55 °C, retirez le chocolat du feu (tout en gardant le bain-marie au chaud).
- Avec une spatule, brassez le chocolat pour le refroidir jusqu'à 28-29 °C.
- Remettez le chocolat refroidi dans le bain-marie frémissant et, tout en mélangeant, réchauffez-le sans dépasser les 31-32 °C.
- Vous venez de faire un des gestes les plus techniques de la pâtisserie, c'est-à-dire de mettre au point une couverture de chocolat !
- Sans attendre, versez-la dans le cadre à tarte. Dès que le chocolat commence à durcir, essayez de visualiser vos carrés Madras (qui auront

Ingrédients

250 g de chocolat noir
de couverture à 70 % de cacao
(chez votre pâtissier ou
dans des magasins spécialisés)
20 amandes entières blanchies
et torréfiées
20 noisettes entières blanchies
et torréfiées
20 pistaches décortiquées
20 bâtonnets d'orange confite
de 2 cm de longueur
20 bâtonnets de gingembre confit
ou 20 bâtonnets d'angélique confite

la taille de 4 cm x 4 cm) et disposez les fruits et les fruits confits. Appuyez légèrement dessus pour les faire adhérer au chocolat.

• Laissez le chocolat durcir complètement pendant une demi-journée à température ambiante (16-18 °C), avant de le découper en carrés à l'aide d'une règle graduée (que vous poserez sur les bords du cadre à tarte) et d'un cutter. Passez la lame du cutter à l'intérieur du cadre pour décoller le chocolat.

• Les carrés Madras se conservent très bien une semaine dans une boîte de métal, à l'abri de la lumière et de l'humidité, à une température entre 16 et 18 °C.

Conseil. Lors du démoulage de vos carrés Madras, pour éviter de laisser vos empreintes sur la surface brillante du chocolat, munissez-vous d'une petite palette avec laquelle, sans les toucher, vous les décollerez du papier sulfurisé.
Secret de pâtissier. Le chocolat est un ingrédient exigeant qui demande une attention particulière. Si vous voulez qu'il garde son aspect brillant et une belle texture en bouche, respectez les températures indiquées pour sa mise au point.

Confiseries de chocolat

Après sa mise au point, vous pouvez utiliser la couverture de chocolat pour enrober des fruits confits (écorces ou rondelles d'orange confite, bâtonnets d'angélique, figues sèches…), des fruits frais (fraises, cerises…) ou des fruits secs (amandes, noisettes, noix…).
Coulée dans un cadre, sur une épaisseur de 2-3 mm, vous pouvez également l'utiliser pour réaliser des petits décors de chocolat, découpés au cutter, qui vous serviront à agrémenter vos gâteaux.

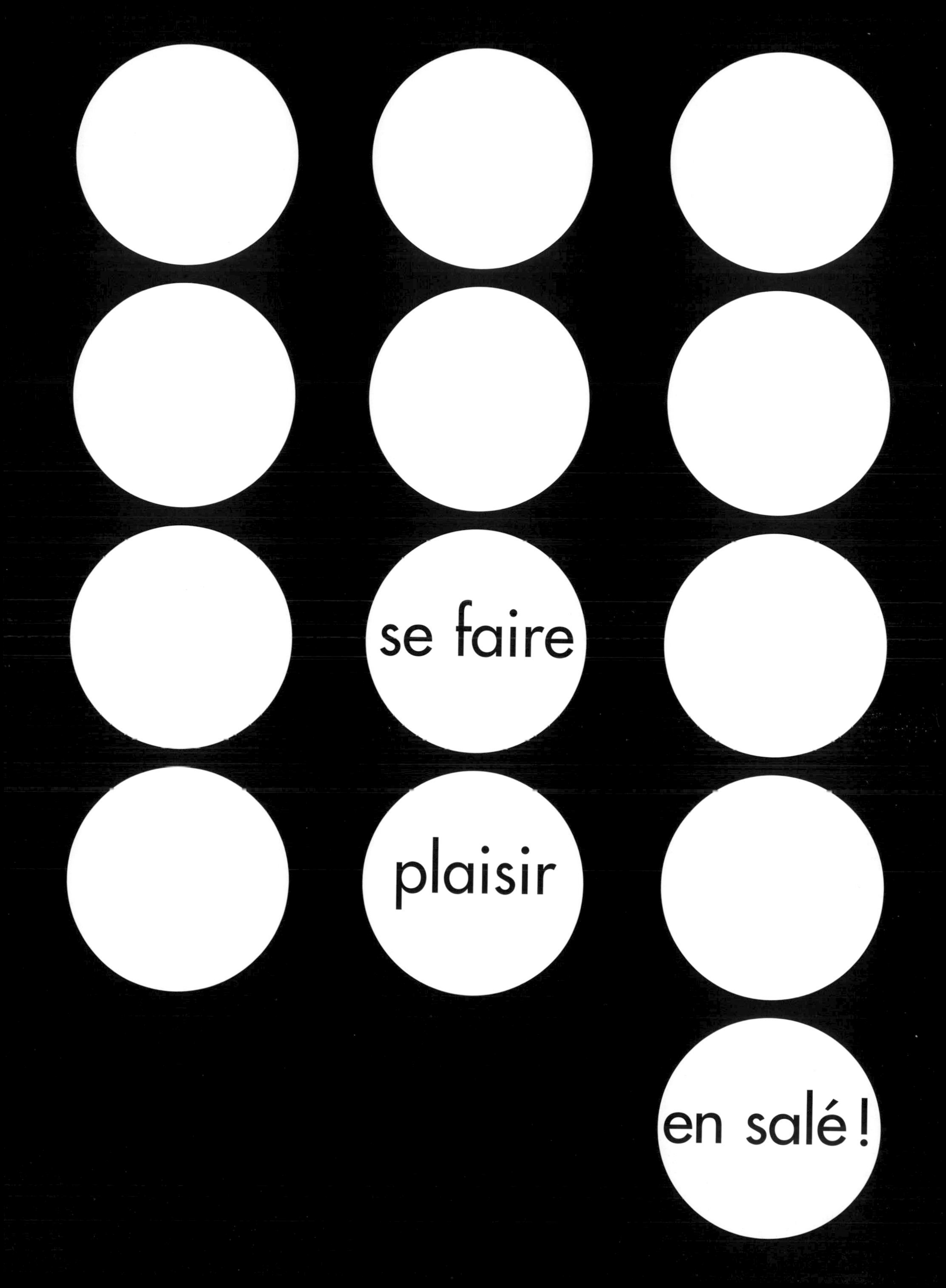
se faire
plaisir
en salé !

Quiche
(la vraie Lorraine)

Pour 6 personnes
Préparation : 30 min
+ 1 h 30 pour la pâte
Cuisson : 55 min
Matériel
1 moule à charnière
de 24 cm de diamètre
et 4 cm de hauteur
Ingrédients
450 g de pâte à quiche
(p.179)
Garniture
100 g de lardons fumés
6-8 tranches fines d'échine
de porc fumée
(ou de bacon en chiffonnade)
2 cuillerées à soupe
de comté râpé
1 noix de beurre
Appareil à quiche
4 gros œufs
15 cl de lait frais entier
20 cl de crème fraîche épaisse
Noix muscade rapée
Poivre fraîchement moulu
Sel

• Préparez la pâte à quiche.
Roulez la pâte en boule, enveloppez-la dans un film alimentaire et laissez-la reposer une heure au réfrigérateur.

• Au bout de ce temps de repos, préchauffez le four à 200 °C.
Sortez la pâte du réfrigérateur, étalez-la sur une épaisseur de 2-3 mm et garnissez le moule beurré en réalisant un bord de 4 cm.
Parez le pourtour, piquez le fond avec une fourchette et réservez au réfrigérateur au moins une demi-heure pour éviter que la pâte ne se rétracte à la cuisson.
Sortez le moule du réfrigérateur, protégez le fond avec une feuille de papier sulfurisé remplie à hauteur de haricots secs et faites cuire la pâte 15 minutes environ, jusqu'à une légère coloration blonde. Sortez le moule du four, retirez le papier sulfurisé et laissez refroidir sans démouler.
N'éteignez pas votre four.

• Pendant ce temps, faites blanchir les lardons (quelques minutes à l'eau bouillante) afin d'éliminer l'excédent de sel et de matière grasse.
Égouttez-les et, sans les rincer, faites-les sauter à la poêle avec le beurre.

• Garnissez le fond de la quiche avec les lardons et les tranches d'échine de porc, saupoudrez de comté râpé.

• Dans un bol, mélangez tous les ingrédients de l'appareil à quiche et assaisonnez (sel, poivre et noix de muscade). Versez cette préparation dans le moule, en le remplissant jusqu'au bord. Faites cuire 40 minutes environ : la crème doit être prise et le dessus de la quiche, doré.

• Dégustez la quiche tiède, accompagnée d'une salade de mâche.

Secret de Gérard Mulot. Cette quiche ne contient qu'une toute petite quantité de fromage : la véritable quiche lorraine, précise Gérard Mulot, ne contient pas de fromage ! C'est la quiche lorraine « parisienne » qui en contient, et parfois trop, au point de masquer le goût des autres ingrédients... Oui donc à un léger saupoudrage de fromage, pour le goût et l'aspect gratiné, non à l'excès !

Sandwich (club)

Pour 10 sandwichs
Préparation : 15 min
Ingrédients
1 pain de mie
(à acheter chez votre boulanger)
250 g de mayonnaise
(p.125)
Batavia, laitue ou romaine
(les feuilles les plus tendres)
2 tomates olivettes
2 œufs durs
2 tranches de jambon blanc
de 50 g chacune
2 tranches d'emmenthal
de 50 g chacune
1 pomme granny-smith
20 cerneaux de noix

- Préparez tous les ingrédients. Ne les mélangez pas : gardez-les dans des bols séparés.
- Préparez les œufs durs, hachez-les grossièrement. Lavez la salade, essorez-la. Lavez les tomates, coupez-les en fines rondelles. Hachez les noix. Épluchez la pomme verte, évidez-la. Coupez la pomme, le jambon et l'emmenthal en julienne.
- Coupez le pain de mie en tranches régulières d'1 cm d'épaisseur.
- Tartinez les tranches de pain de mie de mayonnaise, d'un seul côté. Dessus, déposez une feuille de salade et des rondelles de tomate. Saupoudrez avec la chapelure d'œufs durs. Couvrez avec une tranche de pain de mie, tartinée de mayonnaise des deux côtés. Déposez une feuille de salade, parsemez de jambon et d'emmenthal en julienne. Couvrez avec une tranche de pain de mie, tartinée de mayonnaise des deux côtés. Déposez une feuille de salade, parsemez de pomme en julienne. Saupoudrez de noix hachées.Terminez avec une tranche de pain de mie, tartinée de mayonnaise du côté intérieur.
- Égalisez le sandwich en appuyant légèrement dessus avec une petite planche ou une assiette plate.
- Coupez vos sandwichs en deux, en suivant la diagonale, ou en quatre pour des sandwichs-canapés.

Conseil. Ces sandwichs sont parfaits pour un pique-nique, un déjeuner léger ou un buffet. Accompagnez-les d'une salade de tomates à l'huile d'olive, d'une salade de concombre au yaourt, d'une salade de pousses d'épinards ou de mesclun...

Sandwich (à la feta)

Pour 10 sandwichs
Préparation : 15 min
Ingrédients
10 petits pains moelleux
à la farine complète
(à acheter chez votre boulanger)
100 g de mayonnaise
(p.125)
10 tranches de feta de brebis
Batavia, laitue ou romaine
(les feuilles les plus tendres)
2 tomates olivettes
Feuilles de menthe
Huile d'olive

- Préparez tous les ingrédients. Ne les mélangez pas : gardez-les dans des bols séparés.
- Préparez la mayonnaise, parfumez-la avec des feuilles de menthe ciselées. Lavez et essorez la salade. Lavez les tomates, coupez-les en fines rondelles.
- Coupez les petits pains en deux. Tartinez la mie avec la mayonnaise à la menthe. Déposez une feuille de salade, quelques rondelles de tomates, une tranche de feta.
- Saupoudrez de feuilles de menthe ciselées, arrosez d'un mince filet d'huile d'olive.
- Refermez le sandwich : c'est prêt !

Sandwich (aux crudités)

Pour 10 sandwichs
Préparation : 15 min
Ingrédients
1 pain de mie (à acheter chez votre boulanger)
Mayonnaise
(p.125)
Batavia, laitue ou romaine
(les feuilles les plus tendres)
4 tomates olivettes
4 œufs durs

• Préparez tous les ingrédients. Ne les mélangez pas : gardez-les dans des bols séparés.

• Préparez la mayonnaise. Préparez les œufs durs, hachez-les grossièrement. Lavez la salade, essorez-la. Lavez les tomates, coupez-les en fines rondelles.

• Coupez le pain de mie en tranches régulières d'1 cm d'épaisseur.

• Tartinez les tranches de pain avec la mayonnaise, d'un seul côté. Dessus, déposez une feuille de salade et des rondelles de tomate. Couvrez avec une tranche de pain de mie tartinée de mayonnaise des deux côtés. Déposez une feuille de salade, saupoudrez avec la chapelure d'œufs durs.Terminez avec une tranche de pain de mie, tartinée à la mayonnaise du côté intérieur.

• Égalisez le sandwich en appuyant légèrement dessus avec une petite planche ou une assiette plate.

• Coupez vos sandwichs en deux, en suivant la diagonale, ou en quatre pour des sandwichs-canapés.

Sandwich (aux crevettes)

Pour 10 sandwichs
Préparation : 15 min
Ingrédients
1 pain complet et 1 pain de mie
(à acheter chez votre boulanger)
Mayonnaise
(p.125)
2 cuillerées à soupe de ketchup
Batavia, laitue ou romaine
(les feuilles les plus tendres)
3 tomates olivettes
150 g de crevettes cuites
et décortiquées
150 g de thon entier
à l'huile d'olive

• Préparez tous les ingrédients. Ne les mélangez pas : gardez-les dans des bols séparés.

• Préparez la mayonnaise, mélangez-la au ketchup. Lavez la salade, essorez-la. Lavez les tomates, coupez-les en fines rondelles. Égouttez le thon, réduisez-le en miettes.

• Coupez le pain complet et le pain de mie en tranches régulières d'1 cm d'épaisseur de même forme et dimension pour pourvoir les superposer.

• Tartinez les tranches de pain complet de mayonnaise au ketchup, d'un seul côté. Dessus, déposez une feuille de salade et des rondelles de tomate. Couvrez avec une tranche de pain de mie, tartinée de mayonnaise au ketchup des deux côtés. Déposez une feuille de salade. Disposez les crevettes décortiquées, parsemez de thon émietté. Couvrez avec une feuille de salade. Terminez avec une tranche de pain de mie, tartinée à la mayonnaise du côté intérieur.

• Égalisez le sandwich en appuyant légèrement dessus avec une petite planche ou une assiette plate.

• Coupez vos sandwichs en deux, en suivant la diagonale, ou en quatre pour des sandwichs-canapés.

Sandwich
(à la mâche et aux œufs durs)

Pour 10 sandwichs
Préparation : 15 min
Ingrédients
1 pain de mie complet
(à acheter chez votre boulanger)
Mayonnaise
(p.125)
4 œufs durs
250 g de mâche prête à l'emploi

- Préparez tous les ingrédients. Ne les mélangez pas : gardez-les dans des bols séparés.
- Préparez la mayonnaise.
Préparez les œufs durs, hachez-les grossièrement. Sortez la mâche de sa barquette. Coupez le pain de mie en tranches régulières d'1 cm d'épaisseur.
- Tartinez les tranches de pain avec la mayonnaise, d'un seul côté. Saupoudrez une tranche de pain sur trois, avec la chapelure d'œufs durs. Dessus, déposez des bouquets de mâche. Couvrez avec une tranche de pain de mie tartinée de mayonnaise des deux côtés. Déposez des bouquets de mâche, saupoudrez avec la chapelure d'œufs durs. Terminez avec une tranche de pain de mie, tartinée à la mayonnaise du côté intérieur.
- Égalisez le sandwich en appuyant légèrement dessus avec une petite planche ou une assiette plate.
- Coupez vos sandwichs en deux, en suivant la diagonale, ou en quatre

Sandwich (au saumon fumé)

Pour 10 sandwichs
Préparation : 15 min
Ingrédients
1 pain de mie
1 pain de campagne
(à acheter chez votre boulanger)
10 tranches fines de saumon fumé
Crème au fromage blanc
200 g de fromage blanc à 40 % de matière grasse bien égoutté
40 g de mayonnaise
(p.125)
60 g de crème fleurette fouettée
2 gouttes de jus de citron
Brins d'aneth
Sel
Poivre

- Préparez la crème au fromage blanc.
Dans un bol, mélangez le fromage blanc et la mayonnaise. Incorporez délicatement la crème fouettée, le jus de citron et l'aneth ciselé. Salez, poivrez.
- Coupez le pain de mie et le pain de campagne en tranches régulières d'1 cm d'épaisseur de même forme et dimension pour pourvoir les superposer.
- Tartinez les tranches de pain de mie avec la crème au fromage blanc, d'un seul côté. Dessus, posez une tranche de saumon fumé. Couvrez avec une tranche de pain de campagne, tartinée de crème au fromage blanc des deux côtés. Posez dessus une tranche de saumon fumé. Terminez avec une tranche de pain de mie, tartinée à la crème au fromage blanc du côté intérieur.
- Égalisez le sandwich en appuyant légèrement dessus avec une petite planche ou une assiette plate.
- Coupez vos sandwichs en deux, en suivant la diagonale, ou en quatre pour des sandwichs-canapés.

Sandwich (italien)

Pour 10 sandwichs
Préparation : 15 min
Ingrédients
10 petits pains viennois au sésame (à acheter chez votre boulanger)
5 tranches fines de provolone doux
10 tranches de jambon de Parme en chiffonnade
Huile d'olive

• Ces sandwichs sont très faciles à préparer. La seule difficulté consiste à trouver des petits pains viennois au sésame : il s'agit d'une recette spécialement mise au point par Gérard Mulot pour ce type de sandwichs !

• Vous avez donc le choix car vous pouvez : soit les commander chez Gérard Mulot, soit les remplacer par des petits pains au sésame classiques, soit confectionner ces petits pains vous-même. Comment ? Avec de la pâte à brioche (p. 18) !

• Après le deuxième pointage de la pâte, avec un couteau bien aiguisé, coupez-la en 10 morceaux auxquels vous donnerez une forme de barquette allongée.

• Posez les petits pains sur une plaque de cuisson revêtue de papier sulfurisé. Couvrez d'un torchon propre et laissez lever encore une fois à température ambiante (à l'intérieur du four, porte fermée, par exemple), pendant une heure : ils doivent doubler de volume.

• Sortez la plaque du four et préchauffez-le à 200 °C.

• Juste avant la cuisson, au pinceau, dorez les petits pains avec un œuf battu, saupoudrez de sésame. Faites cuire 15 minutes environ, jusqu'à une coloration joliment dorée. Sortez la plaque du four, laissez les petits pains refroidir avant de les décoller du papier sulfurisé.

• Coupez les petits pains en deux. Aspergez la mie d'un mince filet d'huile d'olive. Disposez une tranche de provolone, puis une tranche de jambon de Parme.

• Refermez le sandwich : c'est prêt !

Mayonnaise
(gourmande)

Pour 1 bol de mayonnaise
Préparation : 10 min
Ingrédients
1 jaune d'œuf
1 cuillerée à soupe de moutarde de Dijon
25 cl d'huile de tournesol
1 cuillerée à soupe de vinaigre de cidre
Noix de muscade
Sel
Poivre fraîchement moulu

- Dans un bol, fouettez le jaune d'œuf avec le sel, le poivre, la noix de muscade et la moutarde.
- Incorporez progressivement l'huile de tournesol, tout en fouettant.
- Lorsque la mayonnaise est prête (sa consistance est ferme), ajoutez le vinaigre de cidre. Mélangez bien.
- Vous pouvez utiliser cette mayonnaise tout de suite, ou bien la conserver au réfrigérateur (48 heures maximum), protégée par un film alimentaire.
- Elle donnera du goût à vos sandwiches, accompagnera très bien une terrine de poisson ou de la viande froide,...

Secret de Gérard Mulot pour une mayonnaise :
plus aromatique si vous y ajoutez des fines herbes ciselées ou de pistils de safran préalablement écrasés dans l'huile de tournesol
plus sophistiquée avec 1 ou 2 cuillerées à soupe de cognac
plus légère si vous l'additionnez de crème fouettée ou de fromage blanc (cette version accompagnera à la perfection une terrine de poisson ou un plateau de crudités)
plus méditerranéenne si vous remplacez la moitié de l'huile de tournesol par de l'huile d'olive
plus corsée avec du piment d'Espelette...

Tourte

(au thon et aux tomates confites)

Pour 6 personnes
Préparation : 30 min
+ 1 h au réfrigérateur
Cuisson : 1 h
Matériel
1 moule rond à charnière
de 24 cm de diamètre
et 4 cm de hauteur
Ingrédients
450 g de pâte à quiche
(p.179)
2 petites courgettes
3 tomates type olivette
4 cuillerées à soupe d'huile
d'olive
200 g de thon entier à l'huile
Feuilles de basilic
Sel
Poivre
Appareil à quiche
15 cl de crème fleurette
3 œufs
10 cl de lait frais
Noix de muscade râpée
Poivre fraîchement moulu
Sel

• Préparez la pâte à quiche.
Roulez la pâte en boule, enveloppez-la dans un film alimentaire et laissez-la reposer une heure au réfrigérateur.

• Au bout de ce temps de repos, sur le plan de travail légèrement fariné, étalez la pâte sur une épaisseur de 2-3 mm et garnissez le moule beurré en réalisant un bord de 4 cm.
Parez le pourtour, piquez le fond avec une fourchette et réservez au réfrigérateur au moins une demi-heure pour éviter que la pâte ne se rétracte à la cuisson.

• Préchauffez le four à 200 °C.

• Sortez le moule du réfrigérateur, protégez le fond avec une feuille de papier sulfurisé remplie à hauteur de haricots secs et faites cuire pendant 15 minutes environ, jusqu'à une légère coloration blonde.
Sortez le moule du four, retirez le papier sulfurisé et laissez refroidir sans démouler.
N'éteignez pas le four.

• Pendant ce temps, coupez les courgettes et les tomates en rondelles.
Faites revenir les courgettes dans une sauteuse avec l'huile d'olive.
Couvrez. Laissez cuire 2-3 minutes. Réservez dans un bol.
Dans la même sauteuse, faites confire les tomates dans l'huile d'olive, à feu doux. Couvrez. Laissez cuire 5 minutes.
Égouttez le thon, émiettez-le.

• Tapissez le fond de la tourte avec les rondelles de courgette.
Couvrez avec la moitié du thon, puis avec la moitié des tomates confites. Disposez une deuxième couche de thon, puis une deuxième couche de tomates. Saupoudrez de feuilles de basilic ciselées.

• Dans un bol, mélangez tous les ingrédients de l'appareil à quiche et assaisonnez (sel, poivre et noix de muscade). Versez cette préparation dans le moule, en remplissant la tourte jusqu'au bord. Faites cuire environ 40 minutes : la crème doit être prise et le dessus de la tourte, doré.

• Servez-la tiède, accompagnée d'une salade de tomates cerises.

Tourte

(aux asperges)

Pour 6 personnes
Préparation : 30 min
Cuisson : 1 h
Matériel
1 moule rond à charnière
(ou un cercle à entremet)
de 24 cm de diamètre
et 4 cm de hauteur
1 économe
Ingrédients
450 g de pâte à quiche
(p.179)
600 g d'asperges
100 g de haricots verts
1 petite tomate
1 cuillerée à soupe
de parmesan râpé
Cerfeuil
Appareil à quiche
15 cl de crème fleurette
3 œufs
10 cl de lait frais
Noix de muscade râpée
Poivre fraîchement moulu
Sel

• Préparez la pâte à quiche. Roulez la pâte en boule, enveloppez-la dans un film alimentaire et laissez-la reposer une heure au réfrigérateur.

• Au bout de ce temps de repos, sur le plan de travail légèrement fariné, étalez la pâte sur une épaisseur de 2-3 mm et garnissez le moule beurré en réalisant un bord de 4 cm.
Parez le pourtour, piquez le fond avec une fourchette et réservez au réfrigérateur au moins une demi-heure pour éviter que la pâte ne se rétracte à la cuisson.

• Préchauffez le four à 200 °C.

• Sortez le moule du réfrigérateur, protégez le fond avec une feuille de papier sulfurisé remplie à hauteur de haricots secs et faites cuire pendant 15 minutes environ, jusqu'à une légère coloration blonde.
Sortez le moule du four, retirez le papier sulfurisé et laissez refroidir sans démouler.
N'éteignez pas votre four.

• Lavez et éboutez les haricots verts, gardez-les entiers. Faites-les cuire à l'eau bouillante salée pendant 1 ou 2 minutes (ils doivent rester fermes), égouttez-les et passez-les sous l'eau froide pour arrêter la cuisson. Réservez.

• Lavez la tomate. Plongez-la dans l'eau bouillante pour pouvoir l'émonder. Épépinez-la, coupez-la en petits dés. Réservez.

• Lavez et épluchez les asperges. Ficelez-les en bottes de 6 que vous ferez cuire à l'eau bouillante salée, en vérifiant la cuisson avec la pointe d'un couteau : lorsque le couteau traverse les asperges sans difficulté, elles sont cuites. Égouttez-les et passez-les sous l'eau froide pour arrêter la cuisson. Coupez-les en tronçons de 3 cm, réservez les pointes dans un bol à part.

• Tapissez le fond de la tourte avec les haricots verts, saupoudrez de parmesan râpé. Déposez les tronçons d'asperges et disposez les pointes, tournées vers le centre de la tourte, en cercle. Recouvrez avec les dés de tomate, saupoudrez de feuilles de cerfeuil ciselées.

• Dans un bol, mélangez tous les ingrédients de l'appareil à quiche et assaisonnez (sel, poivre et noix de muscade). Versez cette préparation dans le moule, en remplissant la tourte jusqu'au bord. Faites cuire 40 minutes environ : la crème doit être prise et le dessus de la tourte, doré.

• Servez-la tiède accompagnée d'une salade de mesclun mélangée à des feuilles de cerfeuil.

Tourte

(aux épinards et magrets de canard)

Pour 6 personnes
Préparation : 30 min
Cuisson : 1 h
Matériel
1 moule rond à charnière
(ou un cercle à entremet)
de 24 cm de diamètre
et 4 cm de hauteur
Ingrédients
450 g de pâte à quiche
(p.179)
700 g d'épinards frais
(ou 500 g d'épinards surgelés)
100 g de magret de canard fumé
5 cuillerées à soupe
de crème fraîche épaisse
Ciboulette
20 g de beurre
Sel
Poivre
Noix de muscade
Appareil à quiche
15 cl de crème fleurette
3 œufs
10 cl de lait frais
Noix de muscade râpée
Poivre fraîchement moulu
Sel

• Préparez la pâte à quiche. Roulez la pâte en boule, enveloppez-la dans un film alimentaire et laissez-la reposer une heure au réfrigérateur.

• Au bout de ce temps de repos, sur le plan de travail légèrement fariné, étalez la pâte sur une épaisseur de 2-3 mm et garnissez le moule beurré en réalisant un bord de 4 cm.
Parez le pourtour, piquez le fond avec une fourchette et réservez au réfrigérateur au moins une demi-heure pour éviter que la pâte ne se rétracte à la cuisson.

• Préchauffez le four à 200 °C.

• Sortez le moule du réfrigérateur, protégez le fond avec une feuille de papier sulfurisé remplie à hauteur de haricots secs et faites cuire pendant 15 minutes environ, jusqu'à une légère coloration blonde.
Sortez le moule du four, retirez le papier sulfurisé et laissez refroidir sans démouler.
N'éteignez pas votre four.

• Pendant ce temps, lavez les épinards et faites-les revenir dans une sauteuse avec le beurre, à feu doux. Couvrez. Laissez cuire 3-4 minutes, retirez la sauteuse du feu et liez les épinards à la crème fraîche. Salez, poivrez, saupoudrez de noix de muscade.

• Coupez le magret de canard en tranches très fines.

• Tapissez le fond de la tourte avec la moitié des tranches de magret de canard, couvrez avec les épinards, puis disposez une deuxième couche de magrets de canard. Saupoudrez de ciboulette ciselée.

• Dans un bol, mélangez tous les ingrédients de l'appareil à quiche et assaisonnez (sel, poivre et noix de muscade). Versez cette préparation dans le moule, en remplissant la tourte jusqu'au bord.
Faites cuire 40 minutes environ : la crème doit être prise et le dessus de la tourte, doré.

• Servez-la tiède accompagnée d'une salade de champignons crus.

Tourte
(aux champignons sylvestres)

Pour 6 personnes
Préparation : 30 min
Cuisson : 1 h
Matériel
1 moule rond à charnière
de 24 cm de diamètre
et 4 cm de hauteur
Ingrédients
450 g de pâte à quiche
(p.179)
400 g de cèpes
150 de girolles
5 échalotes
50 g de beurre
6 cuillerée à soupe d'huile d'olive
Persil plat
Sel
Poivre
Appareil à quiche
15 cl de crème fleurette
3 œufs
10 cl de lait frais
Noix de muscade râpée
Poivre fraîchement moulu
Sel

• Préparez la pâte à quiche. Roulez la pâte en boule, enveloppez-la dans un film alimentaire et laissez-la reposer une heure au réfrigérateur.

• Au bout de ce temps de repos, sur le plan de travail légèrement fariné, étalez la pâte sur une épaisseur de 2-3 mm et garnissez le moule beurré en réalisant un bord de 4 cm.
Parez le pourtour, piquez le fond avec une fourchette et réservez au réfrigérateur au moins une demi-heure pour éviter que la pâte ne se rétracte à la cuisson.

• Préchauffez le four à 200 °C.

• Sortez le moule du réfrigérateur, protégez le fond avec une feuille de papier sulfurisé remplie à hauteur de haricots secs et faites cuire pendant 15 minutes environ, jusqu'à une légère coloration blonde.
Sortez le moule du four, retirez le papier sulfurisé et laissez refroidir sans démouler.
N'éteignez pas votre four.

• Pendant ce temps, passez les champignons sous l'eau, essuyez-les.
Avec un petit couteau, grattez le pied des cèpes s'il est terreux.

• Détaillez les cèpes en tranches plutôt épaisses que vous ferez sauter, avec 3 échalotes émincées, dans le beurre (30 g) et l'huile d'olive (4 cuillerées à soupe) : elles doivent être dorées des deux côtés. En fin de cuisson, ajoutez du persil haché. Mélangez bien, assaisonnez et réservez.

• Gardez les girolles entières, faites-les sauter dans le beurre et l'huile d'olive restants, avec une échalote émincée. En fin de cuisson, ajoutez du persil haché. Mélangez bien, assaisonnez et réservez.

• Garnissez le fond de la tourte avec les champignons, disposés pêle-mêle. Saupoudrez de persil haché.

• Dans un bol, mélangez tous les ingrédients de l'appareil à quiche et assaisonnez (sel, poivre et noix de muscade). Versez cette préparation dans le moule, en remplissant la tourte jusqu'au bord. Faites cuire 40 minutes environ : la crème doit être prise et le dessus de la tourte, doré.

• Servez -la tiède accompagnée cette tourte d'une belle salade verte (cœur de laitue, cœur de batavia) agrémentée de persil haché et d'une petite échalote ciselée.

Variante :

Si vous voulez donner à votre tourte un parfum de Provence, remplacez l'échalote (recette bordelaise) par 1 ou 2 gousses d'ail.

Pour 6 personnes
Préparation : 45 min
Cuisson : 1 h
Matériel
1 moule rond à charnière
de 24 cm de diamètre
et 4 cm de hauteur
Ingrédients
450 g de pâte à quiche
(p.179)
2 poireaux
(que la partie blanche)
2 petites courgettes
1 tomate mûre
2 petites carottes
100 g de haricots verts
100 g de petits pois
(frais ou surgelés)
Quelques bouquets de brocolis
20 g de beurre
2 cuillerées à soupe d'huile
d'olive
Cerfeuil
Basilic
Sel
Poivre
Appareil à quiche
15 cl de crème fleurette
3 œufs
10 cl de lait frais
Noix de muscade râpée
Poivre fraîchement moulu
Sel

Tourte (aux petits légumes)

• Préparez la pâte à quiche. Roulez la pâte en boule, enveloppez-la dans un film alimentaire et laissez-la reposer une heure au réfrigérateur.

• Au bout de ce temps de repos, sur le plan de travail légèrement fariné, étalez la pâte sur une épaisseur de 2-3 mm et garnissez le moule beurré en réalisant un bord de 4 cm.
Parez le pourtour, piquez le fond avec une fourchette et réservez au réfrigérateur au moins une demi-heure pour éviter que la pâte ne se rétracte à la cuisson.

• Préchauffez le four à 200 °C.

• Sortez le moule du réfrigérateur, protégez le fond avec une feuille de papier sulfurisé remplie à hauteur de haricots secs et faites cuire pendant 15 minutes environ, jusqu'à une légère coloration blonde. Sortez le moule du four, retirez le papier sulfurisé et laissez refroidir sans démouler. N'éteignez pas votre four.

• Pendant ce temps, lavez et préparez les légumes.

• Coupez les poireaux en tronçons de 1 cm. Faites-les cuire à l'eau bouillante salée pendant 1 ou 2 minutes, égouttez-les (sans jeter l'eau de cuisson, en utilisant une écumoire par exemple) et faites-les revenir dans le beurre à feu doux. Réservez.

• Coupez les courgettes en fines rondelles. Faites-les cuire dans l'eau qui a servi à ébouillanter les poireaux, pendant 1 minute : elles doivent rester fermes. Égouttez-les et faites-les sauter dans l'huile d'olive. En fin de cuisson, ajoutez le basilic ciselé, réservez

• Changez l'eau de cuisson des légumes, sans oublier de la saler. Ébouillantez la tomate pour pouvoir l'émonder. Épépinez-la, coupez-la en petits dés. Réservez.

• Épluchez les carottes, coupez-les en julienne. Faites-les cuire à l'eau bouillante salée (celle utilisée pour la tomate) pendant 1 minute. Égouttez-les, passez-les sous l'eau froide pour arrêter la cuisson, réservez.

• Changez l'eau de cuisson des légumes une dernière fois (n'oubliez pas de la saler). Faites cuire, dans l'ordre : les haricots verts (éboutés mais entiers), les petits pois et, en dernier, les bouquets de brocolis. Égouttez et passez les légumes cuits sous l'eau froide, pour arrêter la cuisson.
Ne les mélangez pas : réservez-les dans des bols séparés.

• Déposez les légumes sur le fond de la tourte en les superposant : d'abord les poireaux, puis les haricots verts, les courgettes, les carottes, les bouquets de brocolis, les petits pois et pour finir, les dés de tomate. Saupoudrez de feuilles de basilic et de cerfeuil ciselées.

• Dans un bol, mélangez tous les ingrédients de l'appareil à quiche et assaisonnez (sel, poivre et noix de muscade). Versez cette préparation dans le moule, en remplissant la tourte jusqu'au bord. Faites cuire 40 minutes environ : la crème doit être prise et le dessus de la tourte, doré.

• Servez-la tiède accompagnée d'une salade de cœurs de laitue.

Conseil. La préparation de cette tourte est un peu laborieuse : les légumes sont exigeants, leur nettoyage et leur cuisson nécessitent plusieurs manipulations,
mais elle est vraiment délicieuse, colorée, parfumée ! Au moment de la dégustation, vous serez récompensé du travail accompli.

Tourte

(aux poireaux et au fromage de chèvre frais)

Pour 6 personnes
Préparation : 30 min
Cuisson : 1 h
Matériel
1 moule rond à charnière
de 24 cm de diamètre
et 4 cm de hauteur
Ingrédients
450 g de pâte à quiche
(p.179)
4 blancs de poireau
100 g de fromage
de chèvre en bûche
20 g de beurre
Sel
Poivre
Bouquets de persil frisé
pour le décor
Appareil à quiche
15 cl de crème fleurette
3 œufs
10 cl de lait frais
Noix de muscade râpée
Poivre fraîchement moulu
Sel

• Préparez la pâte à quiche.Roulez la pâte en boule, enveloppez-la dans un film alimentaire et laissez-la reposer une heure au réfrigérateur.

• Au bout de ce temps de repos, sur le plan de travail légèrement fariné, étalez la pâte sur une épaisseur de 2-3 mm et garnissez le moule beurré en réalisant un bord de 4 cm.
Parez le pourtour, piquez le fond avec une fourchette et réservez au réfrigérateur au moins une demi-heure pour éviter que la pâte ne se rétracte à la cuisson.

• Préchauffez le four à 200 °C.

• Sortez le moule du réfrigérateur, protégez le fond avec une feuille de papier sulfurisé remplie à hauteur de haricots secs et faites cuire pendant 15 minutes environ, jusqu'à une légère coloration blonde. Sortez le moule du four, retirez le papier sulfurisé et laissez refroidir sans démouler.
N'éteignez pas le four.

• Pendant ce temps, lavez les poireaux, coupez-les en tronçons de 2 cm que vous ferez cuire à l'eau bouillante salée pendant 1 ou 2 minutes. Égouttez-les puis faites-les revenir dans le beurre, à feu doux. Salez et poivrez.

• Tapissez le fond de la tourte avec le fromage de chèvre écroûté et coupé en tranches assez épaisses. Déposez les poireaux sur le fromage.

• Dans un bol, mélangez tous les ingrédients de l'appareil à quiche et assaisonnez (sel, poivre et noix de muscade). Versez cette préparation dans le moule, en remplissant la tourte jusqu'au bord. Décorez avec des feuilles de persil frisé. Faites cuire 40 minutes environ : la crème doit être prise et le dessus de la tourte, doré.

• Servez-la tiède, accompagnée d'une salade de trévise légèrement aillée, parfumée à l'huile d'olive et au vinaigre balsamique.

Tourte

(aux trois fromages)

Pour 6 personnes
Préparation : 30 min
Cuisson : 55 min
Matériel
1 moule rond à charnière
(ou un cercle à entremet)
de 24 cm de diamètre
et 4 cm de hauteur
Ingrédients
450 g de pâte à quiche
(p.179)
100 g de comté du Jura
100 g de reblochon de Savoie
100 g de mimolette extra vieille
Appareil à quiche
15 cl de crème fleurette
3 œufs
10 cl de lait frais
Noix de muscade râpée
Poivre fraîchement moulu
Sel

• Préparez la pâte à quiche. Roulez la pâte en boule, enveloppez-la dans un film alimentaire et laissez-la reposer une heure au réfrigérateur.

• Au bout de ce temps de repos, sur le plan de travail légèrement fariné, étalez la pâte sur une épaisseur de 2-3 mm et garnissez le moule beurré en réalisant un bord de 4 cm.
Parez le pourtour, piquez le fond avec une fourchette et réservez au réfrigérateur au moins une demi-heure pour éviter que la pâte ne se rétracte à la cuisson.

• Préchauffez le four à 200 °C.

• Sortez le moule du réfrigérateur, protégez le fond avec une feuille de papier sulfurisé remplie à hauteur de haricots secs et faites cuire pendant 15 minutes environ, jusqu'à une légère coloration blonde. Sortez le moule du four, retirez le papier sulfurisé et laissez refroidir sans démouler.
N'éteignez pas le four.

• Pendant ce temps, coupez le comté et le reblochon en fines lamelles, râpez la mimolette.

• Tapissez le fond de la tourte avec le comté, recouvrez de reblochon, saupoudrez de mimolette.

• Dans un bol, mélangez tous les ingrédients de l'appareil à quiche et assaisonnez (sel, poivre et noix de muscade). Versez cette préparation dans le moule, en remplissant la tourte jusqu'au bord. Faites cuire 40 minutes environ : la crème doit être prise et le dessus de la tourte, doré.

• Servez-la tiède accompagnée d'une salade de pousses d'épinards.

Conseil. Cette tourte est idéale pour les invitations de dernière minute. Ouvrez votre réfrigérateur et regardez ce que vous avez sur le plateau de fromages : camembert, brie de Meaux, chèvre, gruyère, cantal… les combinaisons de trois fromages sont pratiquement infinies ! Veillez seulement à utiliser trois typologies de fromages bien différentes (pas de camembert et de brie dans la même tourte) de manière à avoir une tourte plus contrastée, et donc plus savoureuse.

Tourte

(Loir-et-Cher)

Pour 6 personnes
Préparation : 30 min
Cuisson : 1 h
Matériel
1 moule rond à charnière
de 24 cm de diamètre
et 4 cm de hauteur
Ingrédients
450 g de pâte à quiche
(p.179)
250 g de chèvre frais du Loir-et-Cher
2 tomates mûres
2 cuillerées à soupe d'huile de noix
Fines herbes au choix
(persil plat, basilic, cerfeuil,
menthe, estragon)
Sel
Poivre
Appareil à quiche
15 cl de crème fleurette
3 œufs
10 cl de lait frais
Noix de muscade râpée
Poivre fraîchement moulu
Sel

• Préparez la pâte à quiche. Roulez la pâte en boule, enveloppez-la dans un film alimentaire et laissez-la reposer une heure au réfrigérateur.

• Au bout de ce temps de repos, sur le plan de travail légèrement fariné, étalez la pâte sur une épaisseur de 2-3 mm et garnissez le moule beurré en réalisant un bord de 4 cm.
Parez le pourtour, piquez le fond avec une fourchette et réservez au réfrigérateur au moins une demi-heure pour éviter que la pâte ne se rétracte à la cuisson.

• Préchauffez le four à 200 °C.

• Sortez le moule du réfrigérateur, protégez le fond avec une feuille de papier sulfurisé remplie à hauteur de haricots secs et faites cuire pendant 15 minutes environ, jusqu'à une légère coloration blonde.
Sortez le moule du four, retirez le papier sulfurisé et laissez refroidir sans démouler.
N'éteignez pas le four.

• Pendant ce temps, coupez les tomates en rondelles et faites-les confire dans l'huile de noix chaude, à feu doux. Couvrez et laissez cuire 5 minutes.
Coupez le chèvre frais en tranches assez épaisses.

• Tapissez le fond de la tourte avec la moitié du fromage de chèvre, recouvrez avec la moitié des tomates confites.
Disposez une deuxième couche de fromage, puis une deuxième couche de tomates. Saupoudrez de fines herbes ciselées.

• Dans un bol, mélangez tous les ingrédients de l'appareil à quiche et assaisonnez (sel, poivre et noix de muscade). Versez cette préparation dans le moule, en remplissant la tourte jusqu'au bord. Faites cuire 40 minutes environ : la crème doit être prise et le dessus de la tourte, doré.

• Servez-la tiède accompagnée d'une salade mélangée : cœurs de laitue, cœurs de scarole, pousses d'épinards, roquette, feuilles de moutarde...

Tourte

(parmesane)

Pour 6 personnes
Préparation : 30 min
Cuisson : 1h15
Matériel
1 moule rond à charnière
de 24 cm de diamètre
et 4 cm de hauteur
Ingrédients
450 g de pâte à quiche
(p.179)
Ratatouille
1 petit oignon
1/2 poivron vert
1/2 poivron rouge
2 courgettes
1 petite aubergine
2 tomates mûres
1 gousse d'ail
6 cuillerées à soupe d'huile d'olive
1 petit bouquet garni
(laurier, thym...)
60 g de jambon
de Parme en chiffonnade
40 g de parmesan en copeaux
Feuilles de basilic
Sel
Poivre
Appareil à quiche
15 cl de crème fleurette
3 œufs
10 cl de lait frais
Noix de muscade râpée
Poivre fraîchement moulu
Sel

• Préparez la pâte à quiche. Roulez la pâte en boule, enveloppez-la dans un film alimentaire et laissez-la reposer 1 heure au réfrigérateur.

• Pendant ce temps, préparez la ratatouille.
Pelez et épépinez les tomates, coupez-les en gros dés.
Épépinez les poivrons, coupez-les en fines lanières.
Détaillez les courgettes et l'aubergine en cubes de taille moyenne.
Émincez l'oignon, faites-le revenir dans l'huile d'olive. Ajoutez les poivrons, les courgettes et l'aubergine. Couvrez, laissez cuire 5 minutes. Ajoutez les tomates, l'ail haché et le bouquet garni.
Couvrez, laissez cuire 15 minutes à feu doux.
Assaisonnez et réservez.

• Sur le plan de travail légèrement fariné, étalez la pâte sur une épaisseur de 2-3 mm. Garnissez le moule beurré en réalisant un bord de 4 cm. Parez le pourtour, piquez le fond avec une fourchette et réservez au réfrigérateur au moins une demi-heure pour éviter que la pâte ne se rétracte à la cuisson.

• Préchauffez le four à 200 °C.

• Sortez le moule du réfrigérateur, protégez le fond avec une feuille de papier sulfurisé remplie à hauteur de haricots secs et faites-le cuire pendant 15 minutes environ, jusqu'à une légère coloration blonde. Sortez le moule du four, retirez le papier sulfurisé et laissez refroidir sans démouler.
N'éteignez pas le four.

• Tapissez le fond de la tourte avec la ratatouille. Couvrez avec le jambon de Parme en chiffonnade, saupoudrez de copeaux de parmesan (râpez le parmesan avec un économe !) et de feuilles de basilic ciselées.

• Dans un bol, mélangez tous les ingrédients de l'appareil à quiche et assaisonnez (sel, poivre et noix de muscade). Versez cette préparation dans le moule, en remplissant la tourte jusqu'au bord. Faites cuire 40 minutes environ : la crème doit être prise et le dessus de la tourte, doré.

• Servez tiède. Accompagnez cette tourte d'une salade de mesclun.

Se faire plaisir
et faire
la fête

Terrine de foie gras

• Préchauffez le four à 90 °C. Faites chauffer une casserole remplie d'eau.

• Sur une planche à découper, séparez les deux lobes du foie. Incisez-les sur les 2/3 de la longueur et sur un demi-centimètre de profondeur pour pouvoir retirer tous les vaisseaux.

• Déposez les lobes dans un plat creux et assaisonnez-les : sel, sucre, épices préalablement mélangées, poivre du moulin.
Arrosez avec le muscat de Maury.

• Placez le foie dans le moule, en disposant les faces lisses contre les parois du moule. Appuyez légèrement dessus, pour éviter la formation de bulles d'air qui rendraient votre terrine moins présentable.

• Enveloppez le moule dans un film alimentaire, intégralement, sans rien laisser au contact de l'air : c'est l'ancêtre de la cuisson sous vide !

• Placez la terrine dans un plat de cuisson. Remplissez d'eau chaude, jusqu'à la moitié du moule. Faites cuire pendant 45 minutes environ.

• La cuisson terminée, retirez la terrine du bain-marie et laissez-la tiédir 1 heure à température ambiante. Faites alors un petit trou à l'une des extrémités de l'enveloppe filmée et, tout en maintenant la terrine avec vos mains, laissez sortir la graisse fondue.

• Couvrez la terrine avec un carton rectangulaire découpé à la bonne taille, posez dessus un poids de 1 kg (3 pots de confiture, par exemple). Réservez la terrine et la graisse au réfrigérateur pendant toute une nuit.

• Le lendemain, réchauffez la graisse à feu doux. Libérez la terrine des pots de confiture, du carton et du film alimentaire. Coulez dessus la graisse fondue sur 3 mm d'épaisseur, réservez au réfrigérateur une demi-journée encore. En refroidissant, la graisse de canard va fonctionner comme un bouchon hermétique naturel vous permettant de conserver la terrine 15 jours au réfrigérateur.

• Au moment de la dégustation, coupez la terrine en tranches avec un couteau dont vous aurez passé la lame sous l'eau chaude.

• Accompagnez cette terrine avec des tranches épaisses, et grillées, de pain de campagne ou de brioche Nanterre (p. 18), et avec une salade de haricots verts et pois gourmands.

Pour 6 personnes
Préparation : 30 min
+ 1 nuit au réfrigérateur
Cuisson : 45 min
Matériel
1 moule à terrine de 24 cm
Ingrédients
1 foie gras frais entier
de canard des Landes de 600 g
3 cuillerées à soupe
de vin de muscat de Maury
2 cuillerées à café de sel
2 cuillerées à café rases
de sucre semoule
1 cuillerée à café d'épices
mélangées (noix de muscade,
gingembre, cannelle, paprika…)
Poivre fraîchement moulu

Conseil. S'il vous reste de la graisse de canard, surtout ne la jetez pas… Vous pouvez l'utiliser pour faire rissoler des pommes de terre, comme dans le Sud-Ouest !

Pâté en croûte

(de pintade au foie gras)

Pour 6 personnes
Préparation : 50 min
1 nuit au réfrigérateur
Cuisson : 40 min

Matériel
1 moule à cake de 24 cm
1 robot mixeur
1 pinceau

Ingrédients
400 g de pâte à quiche (p.179)
100 g de foie gras cuit
1 truffe noire (facultative)

Farce à base de viande de porc
200 g de poitrine fraîche
250 g d'échine de porc
1 échalote
1 noix de beurre
1 pointe de couteau d'ail haché
1 branche de thym
1 cuillerée à café de sel
Poivre fraîchement moulu
1 cuillerée à café d'épices mélangées (noix de muscade, gingembre, cannelle, coriandre...)
3 cuillerées à soupe de vin blanc sec
1 cuillerée à soupe de vin de madère
1 cuillerée à café de cognac
10 g de foie gras cuit
1 petit œuf
Quelques pistaches entières

Farce à base de viande de pintade
150 g de suprême de pintade
1 pointe de couteau de sel
Poivre fraîchement moulu
1 cuillerée à café d'épices mélangées
3 cuillerées à soupe de vin blanc sec
1 cuillerée à café de cognac
1 cuillerée à café de jus de truffe noire
1 œuf battu pour la finition

• **La veille**, préparez la pâte à quiche.
Roulez la pâte en boule, enveloppez-la dans un film alimentaire et laissez-la reposer toute la nuit au réfrigérateur.

• **La veille toujours**, préparez les deux farces.

• Pour la farce à base de viande de porc. Émincez l'échalote, faites-la revenir avec une noix de beurre. Hachez l'ail, détaillez la poitrine et l'échine de porc en gros dés. Placez tous ces ingrédients dans un petit saladier et assaisonnez-les : thym, sel, poivre et épices. Ajoutez le vin blanc, le vin de madère et le cognac. Mélangez, filmez et réservez au réfrigérateur pour la nuit.

• Pour la farce à base de viande de pintade. Détaillez la pintade en lanières. Placez-les dans un petit saladier et assaisonnez-les : sel, poivre et épices. Ajoutez le vin blanc, le cognac et le jus de truffe. Mélangez, filmez et réservez au réfrigérateur pour la nuit.

• **Le lendemain**, sortez la pâte à quiche du réfrigérateur, laissez-la 10 minutes à température ambiante puis, sur le plan de travail légèrement fariné, étalez-la sur une épaisseur de 2-3 mm. Garnissez le moule beurré en laissant dépasser la pâte de 5 cm de chaque côté.

• Placez la farce à base de viande de porc dans la cuve du robot mixeur, après avoir retiré la branche de thym. Hachez finement. À la spatule, incorporez le foie gras émietté, l'œuf et les pistaches entières.

• Sortez la farce à base de viande de pintade du réfrigérateur. Montez votre pâté.

• Étalez la moitié de la farce de porc sur le fond de pâte à quiche. Disposez dessus la moitié des lanières de pintade avec leur assaisonnement. Au milieu, déposez les 100 g de foie gras cuit sur toute la longueur du pâté. Parsemez de truffe noire coupée en julienne. Couvrez avec les lanières de pintade et le reste de farce de porc.

• Lissez la surface avec une petite spatule. Refermez votre pâté avec la pâte à quiche qui déborde du moule. Coupez la pâte en excès, soudez-la avec l'œuf battu, au pinceau (placez la soudure sur un des côtés du moule, pour qu'elle soit moins visible).

• Réservez le pâté au réfrigérateur 30 minutes avant de le faire cuire.

• Préchauffez le four à 200 °C.

• Juste avant la cuisson, dorez à l'œuf la surface du pâté.
Avec la pointe d'un couteau, dessinez des rayures fines et pratiquez deux petites incisions dans la pâte, pour que la vapeur puisse s'échapper pendant la cuisson.

• Faites cuire 35-40 minutes environ : la pâte doit être bien dorée.

• Laissez votre pâté refroidir complètement avant de le déguster : coupé en tranches fines et accompagné d'une belle salade de cœurs de scarole.

Tourte
(coquillages et crustacés)

Pour 6 personnes
Préparation : 30 min
+ 1 h 30 pour la pâte
Cuisson : 1 h
Matériel
1 moule rond à charnière
de 24 cm de diamètre
et 4 cm de hauteur
Ingrédients
450 g de pâte à quiche
(p.179)
100 g de saumon frais,
sans arêtes
600 g de moules fraîches
(ou 200 g de moules décortiquées)
150 g de crevettes géantes
2 petites courgettes
3 échalotes
1 verre de vin blanc
10 g de beurre
2 cuillerées à soupe d'huile d'olive
Persil plat
Basilic
Sel
Poivre
Appareil à quiche
15 cl de crème fleurette
3 œufs
10 cl de lait frais
Noix de muscade râpée
Poivre fraîchement moulu
Sel

- Préparez la pâte à quiche.
Roulez la pâte en boule, enveloppez-la dans un film alimentaire et laissez-la reposer une heure au réfrigérateur.

- Au bout de ce temps de repos, sur le plan de travail légèrement fariné, étalez la pâte sur une épaisseur de 2-3 mm et garnissez le moule beurré en réalisant un bord de 4 cm.
Parez le pourtour, piquez le fond avec une fourchette et réservez au réfrigérateur au moins une demi-heure pour éviter que la pâte ne se rétracte à la cuisson.

- Préchauffez le four à 200 °C.

- Sortez le moule du réfrigérateur, protégez le fond avec une feuille de papier sulfurisé remplie à hauteur de haricots secs et faites cuire pendant 15 minutes environ, jusqu'à une légère coloration blonde. Sortez le moule du four, retirez le papier sulfurisé et laissez refroidir sans démouler. N'éteignez pas le four.

- Pendant ce temps, coupez le saumon frais en petits dés. Réservez-le.

- Coupez les courgettes en fines rondelles, faites-les revenir dans une sauteuse avec le beurre et l'huile d'olive. Couvrez. Laissez cuire 2-3 minutes.

- Lavez les moules, mettez-les dans une sauteuse avec le vin blanc, les échalotes émincées et un petit bouquet de persil. Couvrez. Dès que les moules s'ouvrent, retirez la sauteuse du feu. Décortiquez les moules, réservez-les.

- Filtrez le jus de cuisson dans un torchon propre. Portez-le à ébullition dans une petite casserole, plongez-y les crevettes. Retirez aussitôt la casserole du feu, couvrez, laissez pocher quelques minutes. Égouttez et décortiquez les crevettes en les laissant entières.

- Tapissez le fond de la tourte avec les rondelles de courgette. Disposez les dés de saumon, puis les moules et enfin les crevettes. Saupoudrez de feuilles de persil et de basilic ciselées.

- Dans un bol, mélangez tous les ingrédients de l'appareil à quiche et assaisonnez (sel, poivre et noix de muscade). Versez cette préparation dans le moule, en remplissant la tourte jusqu'au bord. Faites cuire 40 minutes environ : la crème doit être prise et le dessus de la tourte, doré.

Tourte

(au crabe)

Pour 6 personnes
Préparation : 30 min
+ 1 h 30 pour la pâte
Cuisson : 1 h
Matériel
1 moule rond à charnière
de 24 cm de diamètre
et 4 cm de hauteur
Ingrédients
450 g de pâte à quiche
(p. 179)
2 petites courgettes
200 g de fromage blanc lisse
300 g de chair de crabe fraîche
cuite au court bouillon (ou surgelée)
2 tomates de type olivette
2 cuillerées à soupe d'huile d'olive
20 g de beurre
Basilic
Estragon
Sel
Poivre
Appareil à quiche
15 cl de crème fleurette
3 œufs
10 cl de lait frais
Noix de muscade râpée
Poivre fraîchement moulu
Sel

• Préparez la pâte à quiche.
Roulez la pâte en boule, enveloppez-la dans un film alimentaire et laissez-la reposer une heure au réfrigérateur.

• Au bout de ce temps de repos, sur le plan de travail légèrement fariné, étalez la pâte sur une épaisseur de 2-3 mm et garnissez le moule beurré en réalisant un bord de 4 cm.
Parez le pourtour, piquez le fond avec une fourchette et réservez au réfrigérateur au moins une demi-heure pour éviter que la pâte ne se rétracte à la cuisson.

• Préchauffez le four à 200 °C.

• Sortez le moule du réfrigérateur, protégez le fond avec une feuille de papier sulfurisé remplie à hauteur de haricots secs et faites cuire pendant 15 minutes environ, jusqu'à une légère coloration blonde. Sortez le moule du four, retirez le papier sulfurisé et laissez refroidir sans démouler.
N'éteignez pas votre four.

• Pendant ce temps, égouttez le fromage blanc. Coupez les tomates en rondelles et faites-les confire dans l'huile d'olive, à feu doux. Couvrez et laissez cuire 5 minutes. Ajoutez les feuilles de basilic ciselées en fin de cuisson, assaisonnez.

• Détaillez les courgettes en fines rondelles et faites-les revenir dans le beurre. Ajoutez les feuilles d'estragon ciselées en fin de cuisson, assaisonnez.

• Disposez les rondelles de courgette sur le fond de la tourte. Tapissez de fromage blanc, couvrez avec la chair de crabe émiettée, terminez avec les tomates confites.

• Dans un bol, mélangez tous les ingrédients de l'appareil à quiche et assaisonnez (sel, poivre et noix de muscade). Versez cette préparation dans le moule, en remplissant la tourte jusqu'au bord. Décorez avec des feuilles de basilic et d'estragon ciselées. Faites cuire 40 minutes environ : la crème doit être prise et le dessus de la tourte, doré.

• Servez-la tiède accompagnée d'une salade de pourpier ou de pousses d'épinards, juste assaisonnée d'huile d'olive et de fleur de sel de Guérande.

Saucisson
(brioché)

Pour 6 personnes
Préparation : 30 min
Cuisson : 1 h 15
Matériel
1 moule à cake de 24 cm
1 pinceau
Ingrédients
1 saucisson lyonnais
aux pistaches de 600 g,
à faire cuire
1 l de vin blanc sec
50 cl d'eau
1 petit oignon
1 branche de thym
400 g de pâte à brioche
(p. 18)
finition
1 œuf battu pour souder
et dorer la pâte à brioche
Quelques pistaches entières
pour le décor

• Faites cuire le saucisson lyonnais, après en avoir coupé les extrémités.
Dans une casserole, portez à ébullition l'eau et le vin. Plongez-y le saucisson, avec l'oignon et la branche de thym. Faites cuire 45 minutes, dans un liquide frémissant.

• La cuisson terminée, laissez refroidir complètement le saucisson avant de retirer sa peau.

• Lorsque la pâte à brioche est prête (après le deuxième pointage), sur le plan de travail légèrement fariné, étalez-la sur une épaisseur de 2-3 mm. Posez le saucisson au milieu et refermez la pâte de manière à l'envelopper totalement.
Soudez-la avec l'œuf battu, au pinceau.
Avec les chutes de pâte, confectionnez des feuilles ou des petites bandelettes qui vous serviront à décorer la brioche.

• Placez le saucisson brioché dans le moule beurré, soudure en dessous.
Au pinceau, avec l'œuf battu, dorez sa surface puis décorez-la avec les bandelettes ou les feuilles de pâte.
Dorez les décors, parsemez de pistaches entières (en appuyant légèrement dessus pour qu'elles collent à la pâte).

• Faites pousser la pâte une dernière fois à température ambiante pendant 1 heure encore.

• Préchauffez le four à 200 °C.

• Juste avant la cuisson, dorez une deuxième fois la surface de la brioche.
Faites cuire 30 minutes environ : la pâte doit être bien dorée.

• Dégustez le saucisson brioché tiède, accompagné d'une salade de lentilles et de pommes de terre.

Cristallines

(de fruits)

Pour 35 cristallines
Préparation : 10 min
Cuisson : 2 h
Matériel
1 mandoline ou 1 couteau
1 tapis de cuisson en silicone
Ingrédients
1 pomme golden non traitée
1 orange non traitée
1 petit ananas
Sirop
25 cl d'eau
300 g de sucre semoule

• Lavez vos fruits.
Épluchez l'ananas, n'épluchez pas les pommes ni les oranges. Avec la mandoline (ou avec un couteau bien aiguisé), coupez les fruits en rondelles très fines de 3 mm d'épaisseur.

• Préparez le sirop. Dans une casserole, portez à ébullition l'eau avec le sucre pendant 1 minute. Retirez du feu.

• Placez les fruits dans un plat à gratin, versez dessus le sirop bouillant. Laissez macérer jusqu'au refroidissement complet du sirop.

• Préchauffez le four à 100 °C.

• Avec une écumoire, égouttez les rondelles de fruit et déposez-les sur une plaque de cuisson revêtue du tapis en silicone. Faites cuire pendant 2 heures.

• Laissez refroidir avant de décoller les cristallines du tapis de cuisson. Conservez-les dans une boîte hermétique, en séparant les couches de cristallines par un film alimentaire.

• Les cristallines de fruits se conservent très bien dans un endroit sec, à l'abri de l'humidité.

• Elles se dégustent à l'apéritif, en amuse-bouche, en avant-dessert. Elles servent aussi à décorer pâtisseries et glaces.

FILAKOVO

Truffes

(noires)

Pour 50 truffes environ
Préparation : 40 min
+ 1/2 journée
Cuisson : 30 min
Matériel
2 cadres à tarte de 20 cm x 20 cm
1 cutter
1 règle graduée
Ingrédients
20 cl de crème fleurette
1 gousse de vanille
150 g de chocolat noir
à 67 % de cacao
150 g de chocolat noir
à 60 % de cacao
30 g de beurre
à température ambiante

- Avec un petit couteau, hachez le chocolat.
- Dans une petite casserole, portez la crème fleurette à ébullition avec la vanille fendue et grattée.
- Versez la moitié de la crème sur le chocolat. Couvrez, attendez une minute, mélangez avec une spatule. Versez le reste de la crème tout en mélangeant lentement pour éviter d'incorporer de l'air, ce qui rendrait votre chocolat moins brillant.
- Laissez tiédir avant d'incorporer le beurre coupé en petits morceaux, en remuant toujours lentement.
- Sans attendre, versez le chocolat dans les cadres à tarte, sur une épaisseur de 1,5 cm.
- Laissez le chocolat durcir complètement pendant une demi-journée à température ambiante (16-18°C) avant de le découper en carrés de 2 cm x 2 cm à l'aide d'une règle graduée (que vous poserez sur les bords du cadre à tarte) et d'un cutter. Passez la lame du cutter à l'intérieur du cadre pour décoller le chocolat.
- Faites rouler les petits carrés de chocolat sur le plan de travail saupoudré de cacao en poudre, pour les mettre en boule.
- Placez vos truffes dans des petites caissettes, dégustez !
- Ces truffes se conservent très bien une semaine dans une boîte hermétique, à l'abri de la lumière et de l'humidité, à une température entre 16 et 18 °C.

Galette

(du roi Melchior)

Pour 8 personnes
Préparation : 45 min
+ 24 h au réfrigérateur
+ 1 h avant la cuisson
Cuisson : 45 min
Matériel spécifique
1 cercle à tarte (ou une assiette) de 28 cm de diamètre
1 pinceau
1 fève

- **La veille**, préparez la pâte feuilletée : donnez les 6 tours en respectant bien les temps de repos prévus par la recette. Enveloppez-la dans un film alimentaire et laissez-la reposer 24 heures au réfrigérateur avant de l'utiliser.
- **Le lendemain**, faites torréfier les noisettes et les amandes sous le gril du four, pendant 2-3 minutes ne faites pas griller les pistaches pour qu'elles gardent leur belle couleur verte). Laissez refroidir.
- Préparez la crème Melchior en mélangeant la crème d'amandes à la pâte de pistaches. Réservez-la.
- Sortez la pâte du réfrigérateur et, sur le plan de travail légèrement fariné, étalez-la sur une épaisseur de 2-3 mm. En vous aidant du cercle à tarte ou d'une assiette, découpez deux disques de 28 cm de diamètre.

Ingrédients
600 g de pâte feuilletée (p.172)
Crème d'amandes Melchior
450 g de crème d'amandes (p.164)
30 g de pâte de pistaches
12 noisettes entières
12 amandes entières
12 pistaches entières
Dorure
1 œuf
1 cuillerée à soupe d'eau
1 pincée de sel
1 pincée de sucre

Utilisez un couteau bien aiguisé pour ne pas déchirer la pâte, ce qui empêcherait les feuillets de se développer régulièrement à la cuisson.

• Dans un bol, préparez la dorure en fouettant l'œuf avec l'eau, le sel et le sucre.

• Posez un disque de pâte sur une plaque revêtue d'une feuille de papier sulfurisé. Étalez la crème d'amandes Melchior à 4 cm du bord du disque : si vous l'étalez trop près du bord, en cuisant, la crème risque de s'échapper. Placez la fève, parsemez de fruits secs (gardez-en la moitié). Avec un pinceau trempé dans la dorure, mouillez le bord de la galette, pour mieux souder les deux disques de pâte.

• Retournez le deuxième disque de pâte sur le premier, en les superposant très exactement, bord à bord. Soudez-les en appuyant délicatement sur la pâte avec le bout de vos doigts.

• Festonnez (« chiquetez », disent les pâtissiers !) la galette : posez deux doigts légèrement écartés sur le bord puis, avec la lame d'un couteau tenue à l'envers, soulevez et entaillez légèrement le bout de pâte qui se trouve entre vos doigts, de manière à créer une petite vague. Faites le tour de la galette.

• Laissez reposer la galette au réfrigérateur au moins 1 heure avant de la faire cuire.

• Au bout de ce temps de repos, préchauffez le four à 200 °C.

• Trempez le pinceau dans la dorure et badigeonnez le dessus de la galette uniformément, sans faire couler l'œuf sur les bords car il « colle » les feuillets de la pâte et en empêche le développement.

• Rayez la galette avec la pointe du couteau, lame tenue à l'envers pour ne pas entailler trop profondément la pâte. Vous pouvez dessiner des arcs, des feuilles de laurier ou un motif géométrique. Décorez la galette avec les fruits secs restants. Appuyez délicatement dessus pour les faire coller à la pâte feuilletée. Piquez la galette à plusieurs endroits, pour que la vapeur puisse s'échapper pendant la cuisson.

• Faites cuire la galette 45 minutes environ. Démarrez la cuisson à 200 °C mais, dès qu'elle commence à colorer, baissez la température à 180 °C.

• La galette se déguste chaude, tiède ou à température ambiante, selon votre envie du moment !

Secret de Gérard Mulot. Le mariage heureux de la crème d'amandes avec la pâte de pistaches et les fruits secs torréfiés étonnera vos convives…

Secret de pâtissier. Pour la pâte feuilletée, la façon dont on la coupe détermine son comportement à la cuisson : des bords écrasés ou déchirés ne montent pas régulièrement, alors que des bords coupés droits se développent harmonieusement.

Bûche

(de Noël)

Pour 8 personnes
Préparation : 30 min
+ 1/2 journée de réfrigération
Cuisson : 20 min
Matériel
1 moule rectangulaire
de 24 cm x 40 cm
Ingrédients
Génoise au chocolat
75 g de pâte d'amandes
40 g de sucre semoule
3 œufs
70 g de farine
10 g de cacao en poudre
Sirop (pour imbiber le biscuit)
• à la framboise
40 g de sucre
5 cuillerées à soupe d'eau
30 g de purée de framboises surgelée
2 cuillerées à soupe
d'eau-de-vie de framboises
• au Grand Marnier
30 g de sucre
4 cuillerées à soupe d'eau
5 cuillerées à soupe
de Grand Marnier®
• au café
30 g de sucre
4 cuillerées à soupe d'eau
5 cuillerées à soupe de café noir
Crème au chocolat
30 cl de crème fleurette
à 35 % de matière grasse
170 g de chocolat noir
à 74 % de cacao
40 g de sucre semoule
200 g de ganache
au chocolat (p.163)
Framboises ou écorces d'orange
confite ou grains de café chocolatés
pour le décor

• Préparez le sirop qui servira à imbiber le biscuit.
Dans une petite casserole, portez à ébullition l'eau et le sucre.
Laissez refroidir, puis ajoutez le parfum de votre choix. Réservez.
Les trois sirops proposés mettent tous également en valeur le goût chocolaté de la bûche. Choisissez donc en fonction de vos préférences, ou des préférences de vos invités !

• Préparez la crème au chocolat. Avec un petit couteau, hachez le chocolat. Dans une petite casserole, faites chauffer 10 cl de crème fleurette avec le sucre. Versez-la sur le chocolat, remuez : votre ganache doit être lisse et onctueuse. Laissez-la tiédir. Montez le reste de crème en chantilly ferme, incorporez-la délicatement à la ganache au chocolat. Réservez au réfrigérateur 1 heure au moins avant de l'utiliser.

• Pendant ce temps, préparez la génoise au chocolat.
Préchauffez le four à 230 °C, préparez un bain-marie frémissant.
Dans un saladier, avec le batteur électrique en première vitesse (ou au fouet), travaillez la pâte d'amandes avec le sucre. Ajoutez les œufs progressivement.
S'il reste des grumeaux, mixez la préparation pour les éliminer.
Mettez le saladier dans le bain-marie et passez le batteur en vitesse moyenne pour incorporer le maximum d'air. Fouettez pendant 6 minutes, jusqu'à obtenir une pâte souple et crémeuse.
À la spatule, incorporez progressivement la farine et le cacao en poudre en soulevant délicatement la pâte d'un mouvement circulaire. Arrêtez de mélanger dès que la pâte retrouve sa texture souple et lisse.

• Versez la pâte dans le moule soigneusement beurré (ou dans le cadre à tarte posé sur plaque revêtue de papier sulfurisé) sur 1 cm d'épaisseur. Lissez la surface à la spatule et faites cuire pendant 10 minutes : la génoise doit rester blonde, et sa consistance doit être souple et légèrement élastique.

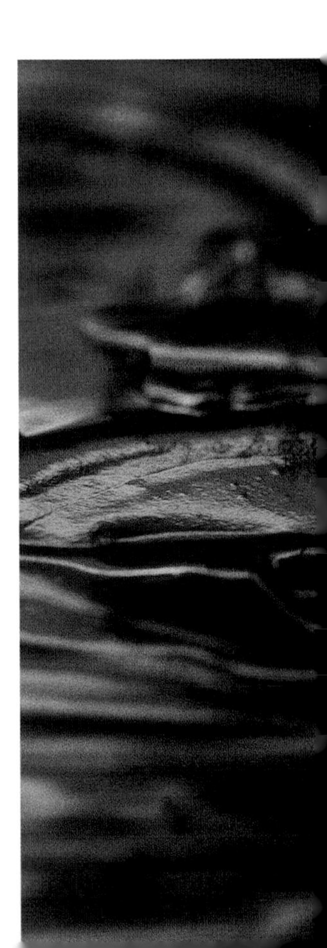

• Cependant, vérifiez la cuisson en introduisant dans le biscuit la lame d'un petit couteau, qui doit ressortir sèche.

• Démoulez la génoise dès la sortie du four, pour éviter que la condensation ne la fasse ramollir : retournez la plaque sur une feuille de papier sulfurisé (ou un torchon propre), et si vous avez utilisé un cadre à tarte, retirez le papier de cuisson.

• Imbibez le biscuit avec le sirop.
Sortez la crème au chocolat du réfrigérateur, fouettez-la pour l'assouplir et l'aérer avant de l'étaler, à la spatule, sur le biscuit.

• Laissez reposer le biscuit un quart d'heure avant de le rouler sur lui-même par le petit côté. Serrez bien le rouleau en vous aidant du papier sulfurisé (ou du torchon). Parez les bords et réservez au réfrigérateur une demi-journée.

• Juste avant la dégustation, préparez la ganache au chocolat. Gardez-la dans un bain-marie éteint pour qu'elle reste fluide sans être chaude. Posez la bûche sur une grille, et d'un geste rapide, recouvrez-la avec la ganache.

• Délicatement, déplacez la bûche sur le plat de service.
Si vous avez utilisé un sirop à la framboise, décorez la bûche avec des framboises roulées dans le sucre semoule, pour leur donner un aspect givré ; si vous avez utilisé un sirop au Grand Marnier, décorez-la avec des écorces d'orange confite ; utilisez des grains de café chocolatés si vous avez utilisé un sirop au café.

• Dégustez aussitôt : Joyeux Noël !

Les recettes de base

… sucrées

Matériel
1 casserole épaisse
ou un poêlon à sucre
1 fouet aux branches coupées
Ingrédients
200 g de sucre semoule
4 cuillerées à soupe d'eau
une dizaine de gouttes
de jus de citron

Quand le caramel

• Dans un poêlon à sucre, ou une casserole épaisse, mélangez le sucre et l'eau.

À feu doux, en remuant doucement avec une cuiller en bois, portez ce mélange à ébullition. Ajoutez les gouttes de citron et laissez bouillir.

Secouez doucement, d'un mouvement circulaire : des fils de caramel vont se détacher des branches du fouet et se déposer sur la feuille de papier.

Recommencez l'opération plusieurs fois, jusqu'à obtenir un grillage assez serré.
Pour « filer », le caramel doit rester fluide.

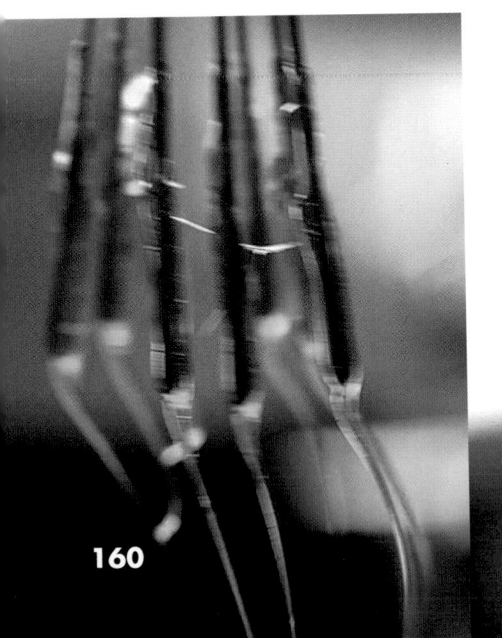

Lorsque le caramel commence à colorer, surveillez la cuisson sans cesser de remuer pour garder une couleur bien homogène.

Quand le caramel prend une belle couleur dorée, retirez la casserole du feu. Lorsque sa consistance devient sirupeuse, il est prêt à être utilisé !

Trempez un fouet aux branches coupées dans le caramel. Soulevez-le à la verticale d'une feuille de papier sulfurisée.

prend une belle couleur...

Si, en refroidissant, il durcit, remettez la casserole sur le feu pendant 1 ou 2 minutes, et remuez : il retrouvera la bonne consistance.

Avec vos mains, resserrez légèrement le grillage de fils pour lui donner du volume et une forme de petit dôme, ou de petit chapeau.

Déposez ce chapeau doré et sucré sur la tarte aux pommes (p.82). Dégustez aussitôt : le caramel ne peut pas attendre !

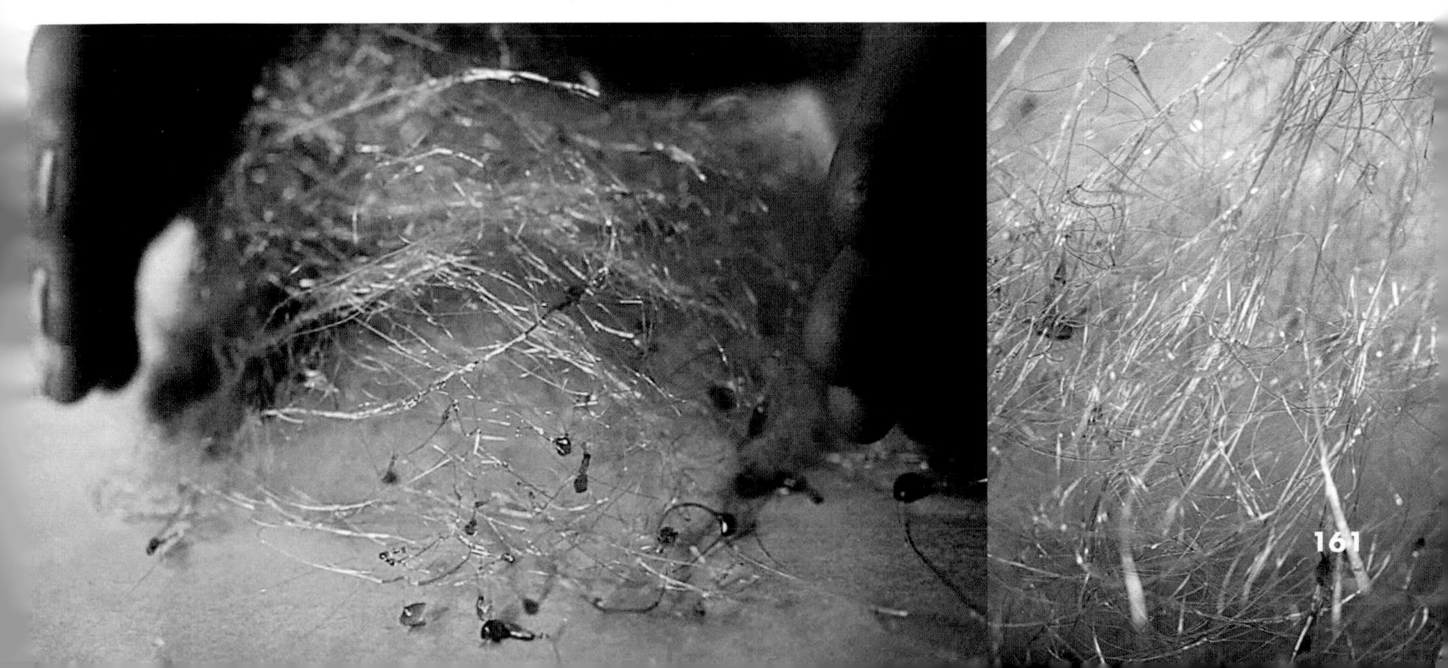

Ganache
(au chocolat)

Pour 50 cl de ganache
Préparation : 10 min
Ingrédients
50 cl de crème fleurette
60 g de chocolat noir
à 64 % de cacao

- Avec un petit couteau, hachez le chocolat.
- Dans une petite casserole, portez la crème fleurette à ébullition.
- Versez la moitié de la crème sur le chocolat. Couvrez, attendez une minute, mélangez avec une spatule. Versez le reste de la crème tout en mélangeant lentement pour éviter d'incorporer de l'air, ce qui rendrait votre ganache moins brillante.
- Si vous n'utilisez pas tout de suite votre ganache, réservez-la au réfrigérateur (48 heures maximum). Avant utilisation, réchauffez-la dans un bain-marie à peine frémissant, pour qu'elle redevienne fluide sans être chaude.
- Vous pouvez utiliser cette ganache pour garnir des crêpes et des beignets, ou pour la finition de certains desserts (religieuses, charlotte, bûche de Noël...).

Sucre
(vanillé)

Matériel
robot mixeur
Ingrédients
100 g de sucre semoule
10 gousses de vanille

- Pour préparer le sucre vanillé, utilisez les gousses de vanille qui ont servi à parfumer vos crèmes (pâtissière, anglaise, au beurre...). Retirez les gousses de vanille de vos crèmes, rincez-les, faites-les sécher puis broyez-les avec le sucre dans la cuve du robot mixeur.
- Conservez le sucre vanillé dans un bocal hermétique.

Crème (d'amandes)

Pour 1 kg de crème d'amandes
Préparation : 15 min
Cuisson : 10 min
(pour la crème pâtissière)
Ingrédients
150 g de beurre
150 g de sucre semoule
150 g de poudre d'amandes
3 œufs
4 cuillerées à soupe de rhum
30 g de Maïzena®
350 g de crème pâtissière (p.165)

• Dans un saladier, travaillez le beurre à la spatule pour l'assouplir, jusqu'à obtenir une consistance « pommade ».
Sans cesser de mélanger, incorporez dans l'ordre : le sucre, les amandes en poudre les œufs l'un après l'autre (attendez que le premier œuf soit incorporé avant d'ajouter le suivant), la crème pâtissière, le rhum et, pour finir, la Maïzena.

• Lorsque la crème est homogène, arrêtez de travailler. Recouvrez-la d'un film alimentaire et réservez-la au réfrigérateur (48 heures maximum). Si vous n'utilisez pas votre crème tout de suite, fouettez-la avant de vous en servir pour lui donner une texture lisse et l'assouplir. Vous pouvez la congeler.

Crème d'amandes à la pistache.

• Pour parfumer 1 kg de crème d'amandes, il vous faut 90 g de pâte de pistaches (que vous pouvez acheter chez votre pâtissier). Mélangez la pâte de pistaches à la crème d'amandes, une fois qu'elle est prête.

Secret de Gérard Mulot. Dans la préparation de la crème d'amandes, la crème pâtissière est facultative. Gérard Mulot vous conseille cependant d'en mettre : à la sortie du four, vos gâteaux seront beaucoup plus moelleux !

Crème (pâtissière)

Pour 1 kg de crème pâtissière
Préparation : 15 min
Cuisson : 15 min
Ingrédients
75 cl de lait frais entier frais
185 g de sucre semoule
1 gousse de vanille
8 jaunes d'œufs
80 g de Maïzena®
Pour parfumer 1 kg de crème
• au café
4 cuillerées à soupe de café lyophilisé, dilué dans
1 cuillerée à soupe de café liquide
• au chocolat
150 g de chocolat noir, haché
• à l'alcool
5 cuillerées à soupe de Cointreau®, Grand Marnier®, kirsch, rhum…

• Dans une casserole, portez à ébullition le lait avec la gousse de vanille, fendue et grattée, et la moitié du sucre. Retirez la casserole du feu, couvrez et laissez infuser quelques minutes.

• Pendant ce temps, dans un bol, fouettez les jaunes d'œufs avec le reste du sucre jusqu'à ce que le mélange blanchisse. Incorporez la Maïzena. Mélangez bien.

• Retirez la gousse de vanille du lait. Versez progressivement le lait encore chaud sur les jaunes, tout en fouettant. Remettez dans la casserole et portez à ébullition sans cesser de mélanger. Laisser bouillir la crème 2-3 minutes.

• Retirez la casserole du feu et parfumez la crème à chaud : café, chocolat ou alcool, en fonction de l'usage que vous devez en faire.

• Laissez refroidir. Couvrez d'un film alimentaire posé en contact avec la crème, pour éviter la formation d'une pellicule plus épaisse, et réservez au réfrigérateur 48 heures maximum.

• Avant de l'utiliser, fouettez la crème pour l'assouplir et la lisser.

Crème au Grand Marnier pour crêpes Suzette

• Pour 15 crêpes. Ajoutez 250 g de crème fleurette non sucrée, fouettée ferme, à 500 g de crème pâtissière. Parfumez-la avec 3 cuillerées à soupe de Grand Marnier.

Crème mousseline

• La crème mousseline est une crème dérivée de la crème pâtissière : fouettée plus longtemps et enrichie en crème au beurre, sa consistance est en effet très « mousseuse » !

• La crème mousseline s'obtient en mélangeant la même quantité de crème pâtissière et de crème au beurre. Au moment de l'incorporation, les deux crèmes doivent avoir la même consistance et être à température ambiante. Incorporez la crème pâtissière à la crème au beurre, délicatement, à la spatule ou au fouet. Dès que le mélange devient homogène, montez-le au batteur électrique, pendant 5 minutes, pour l'aérer : votre crème doit doubler de volume, être lisse et souple.

• Votre crème mousseline est prête !
Vous pouvez la parfumer à la pâte de pistache, à la pâte de noisette, au café, au kirsch, au Grand Marnier… selon votre goût.
Ajoutez l'arôme ou l'alcool au moment de l'incorporation des deux crèmes.

• Cette crème est idéale pour garnir un fraisier, un framboisier ou un millefeuille.

Crème (au beurre)

Pour 1 kg de crème au beurre
Préparation : 15 min
Cuisson : 15 min
Ingrédients
6 jaunes d'œuf
150 g de sucre semoule
15 cl de lait frais entier
1 gousse de vanille
560 g de beurre
à température ambiante
150 g de meringue italienne (p.77)

- Préparez la meringue italienne. Réservez-la au réfrigérateur.
- Dans un bol, fouettez les jaunes d'œufs avec la moitié du sucre.
- Dans une petite casserole, portez à ébullition le lait avec le reste du sucre et la vanille, fendue et grattée. Couvrez, laissez infuser 1-2 minutes avant de retirer la gousse de vanille. Versez le lait encore chaud sur les jaunes d'œufs, tout en fouettant.
- Remettez ce mélange dans la casserole et faites cuire à feu doux, sans cesser de remuer. Retirez du feu aux premiers frémissements. Continuez de mélanger pour refroidir la crème : elle doit être tiède lorsque vous incorporez le beurre, coupé en petits morceaux. Fouettez vigoureusement, au batteur électrique, pour obtenir une crème homogène et mousseuse.
- Passez le batteur en petite vitesse avant d'incorporer la meringue italienne.
- Arrêtez de fouetter lorsque votre crème est à la fois bien lisse et aérée. Couvrez-la d'un film alimentaire et réservez-la au réfrigérateur jusqu'au moment de son utilisation (vous pouvez la conserver 3-4 jours, mais aussi la congeler).

Selon son utilisation, vous pouvez parfumer cette crème :

- **au café** : ajoutez 4 cuillerées à soupe de café lyophilisé, dilué dans 1 cuillerée à soupe de café liquide ;
- **à l'alcool** : ajoutez 5 cuillerées à soupe de Cointreau, Grand Marnier, kirsch, rhum... selon votre goût ou les besoins de la recette;
- **à la pistache**, à la pâte de noisette... dans les proportions conseillées par le fabricant.

- Ajoutez vos parfums au moment où vous incorporez la meringue italienne.

Crème (anglaise à la vanille)

Pour 1 l de crème anglaise
Préparation : 15 min
Cuisson : 15 min
Ingrédients
75 cl de lait frais entier
225 g de sucre semoule
1 gousse de vanille
6 jaunes d'œufs

- Dans une casserole, portez à ébullition le lait avec la moitié du sucre et la vanille fendue et grattée. Retirez du feu, couvrez et laissez infuser.
- Pendant ce temps, dans un bol, fouettez les jaunes d'œufs avec le reste du sucre jusqu'à ce que le mélange blanchisse. Versez progressivement le lait chaud sur les jaunes, en mince filet.
- Mélangez bien, remettez dans la casserole et faites cuire la crème à feu doux, sans cesser de remuer, jusqu'à ce qu'elle devienne onctueuse et « nappe » la spatule. Guettez la disparition de la petite mousse qui s'est formée lors de l'incorporation du lait, car elle annonce la cuisson de la crème anglaise. Contrôlez la cuisson en faisant le test du trait sur la spatule : trempez la spatule dans la crème et, avec votre index, faites un trait qui doit rester visible. En aucun cas, la crème ne doit bouillir.
- Retirez la gousse de vanille puis filtrez la crème pour éliminer les petits grumeaux qui ont pu se former pendant la cuisson et avoir une crème parfaitement lisse.
Plongez le récipient dans un bain d'eau froide (avec des glaçons, si possible), pour arrêter la cuisson. Laissez la crème refroidir complètement, couvrez-la d'un film alimentaire et réservez-la au réfrigérateur (48 heures maximum) avant de l'utiliser : ce temps de repos est nécessaire au développement de tous les arômes.

Coulis

Pour 50 cl de coulis
Préparation : 10 min
Matériel
1 mixeur
Ingrédients
400 g de purée de framboises surgelée
120 g de sucre semoule

- Décongelez la purée de framboises. Ajoutez le sucre, mixez. Si le coulis est trop épais, diluez-le avec 1 ou 2 cuillerées à soupe d'eau.
- Vous pouvez utiliser ce coulis aussitôt (il exprimera alors tout le goût des fruits frais), le conserver au réfrigérateur (24 heures maximum) ou bien le congeler.
- Si vous ne l'utilisez pas tout de suite, fouettez le coulis avant de vous en servir pour lui donner une texture bien homogène.
- Ce coulis accompagne à la perfection le gâteau au fromage blanc (p.58), le fraisier (p.54), ou une glace à la vanille.

Coulis de fruits rouges

- Procédez de la même manière, en remplaçant les framboises par un mélange de fruits rouges (fraises, fraises des bois, groseilles, myrtilles, cassis…).

Conseil : *En saison,* choisissez des fruits mûrs, parfumés et en bon état. Gérard Mulot prépare ce coulis de fruits à la dernière minute, pour bien profiter du goût des fruits frais.

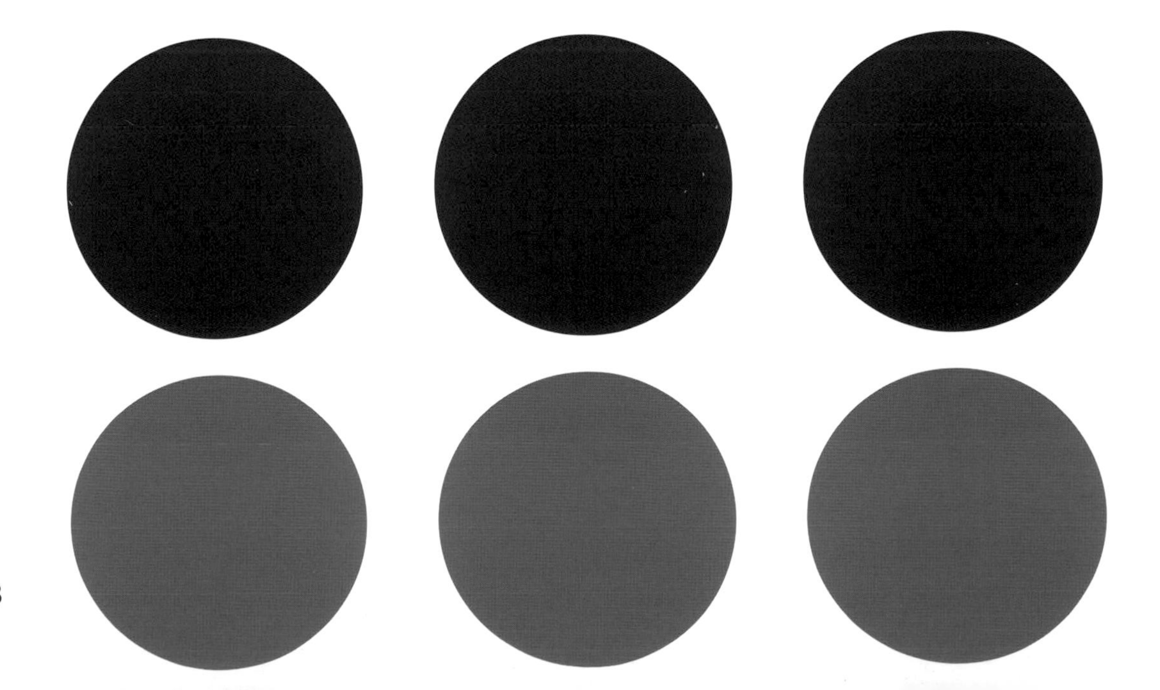

Travaillez la pâte à

Pour 750 g de pâte à choux
Préparation : 15 min
Cuisson : 5 min
Ingrédients
125 g d'eau
125 g de lait frais entier
1 pincée de sel
1 cuillerée à café de sucre semoule
115 g de beurre
135 g de farine
4 œufs

- Dans une petite casserole, portez à ébullition l'eau avec le lait, le sel, le sucre et le beurre en petits morceaux.
- Hors du feu, versez la farine dans la casserole en une seule fois. Mélangez énergiquement avec une spatule jusqu'à l'incorporation complète de la farine.
- Remettez la casserole sur le feu et, tout en remuant, faites dessécher la pâte : elle doit se détacher des bords de la casserole et de la spatule (1 petite minute environ).
- Retirez la casserole du feu et débarrassez la pâte dans un saladier. Incorporez les œufs l'un après l'autre, en attendant que la pâte redevienne parfaitement homogène avant d'ajouter le suivant.
- Travaillez la pâte à la spatule et vérifiez sa consistance après avoir incorporé le quatrième œuf : la pâte à choux est prête quand, lorsque vous la soulevez, elle retombe en formant un « ruban ».

choux à la spatule

Si votre pâte à choux est trop ferme, ajoutez un cinquième œuf, battu, par cuillerées successives, en vérifiant la consistance de la pâte entre chaque.

• Utilisez la pâte aussitôt.

• En pâtisserie, les préparations à base de pâte à choux sont nombreuses : éclairs, religieuses, choux à la crème, Paris-Brest, chouquettes…
• Si vous voulez préparer des petits choux salés (au fromage, au sésame, aux herbes…), ne sucrez pas la pâte.

Secret de pâtissier. Pourquoi incorporer les œufs un par un ? Afin d'éviter de « noyer » la pâte dans le liquide. Votre pâte sera plus homogène et souple. Lorsque vous incorporez les œufs, n'oubliez donc pas de vérifier la consistance de la pâte : trop molle, elle s'étalera à la cuisson ; trop ferme, elle se développera de manière irrégulière.

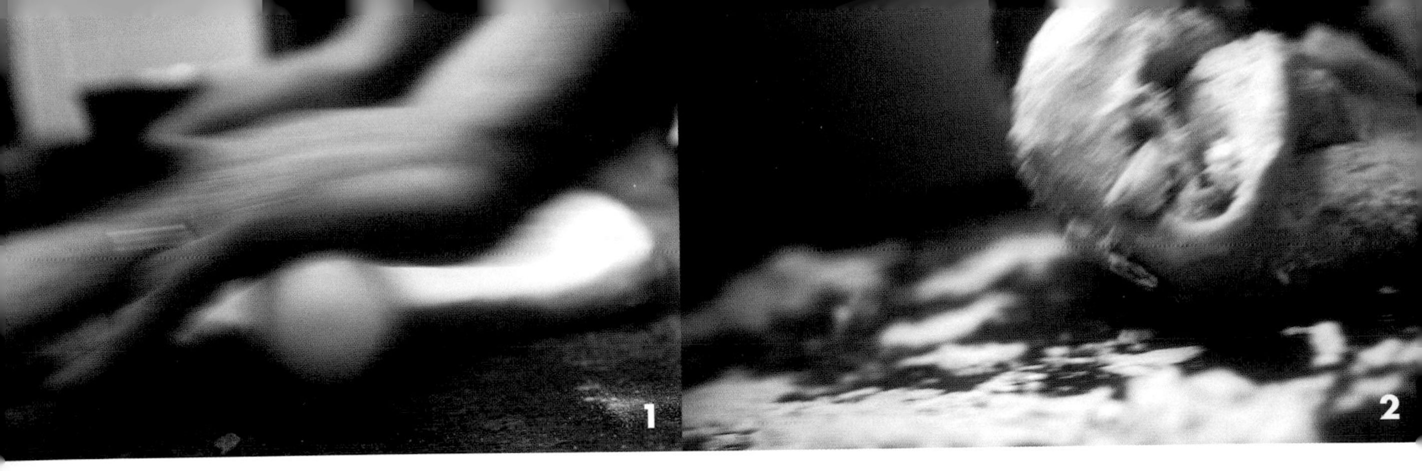

Pour 1 kg de pâte feuilletée
Préparation : 1 heure + 6 h 30 de repos pour la pâte
Matériel : 1 rouleau à pâtisserie
Ingrédients
Détrempe
225 g de farine T55
210 g de farine de gruau
(vous pouvez l'acheter chez votre pâtissier)
1 cuillerée à café de sel
75 g de beurre
15 cl d'eau
Beurre de tourage
370 g de beurre

• Préparez la détrempe. Faites fondre le beurre. Pétrissez ensemble les deux types de farine, le sel et le beurre fondu. Incorporez l'eau progressivement car si la détrempe est trop molle, votre feuilletage ne sera pas beau. Ne travaillez pas trop la pâte : arrêtez de pétrir dès que votre pâton devient lisse

La pâte feuilletée

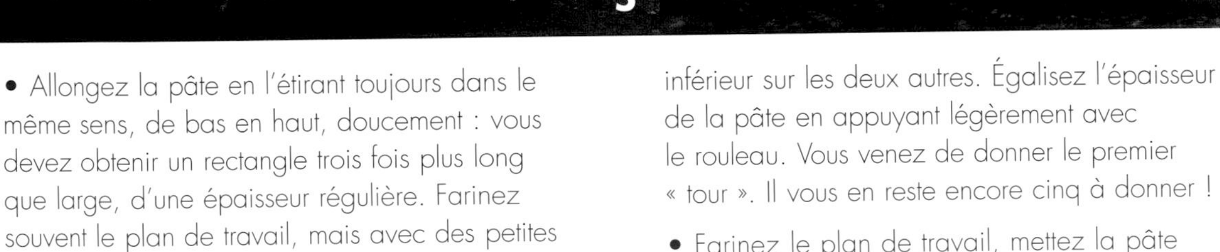

• Allongez la pâte en l'étirant toujours dans le même sens, de bas en haut, doucement : vous devez obtenir un rectangle trois fois plus long que large, d'une épaisseur régulière. Farinez souvent le plan de travail, mais avec des petites quantités de farine à chaque fois, pour éviter que la pâte ne colle et se déchire.

• Pliez le rectangle en trois : rabattez le tiers supérieur sur celui du milieu, et le tiers inférieur sur les deux autres. Égalisez l'épaisseur de la pâte en appuyant légèrement avec le rouleau. Vous venez de donner le premier « tour ». Il vous en reste encore cinq à donner !

• Farinez le plan de travail, mettez la pâte devant vous, le dos du pliage sur votre gauche. Soudez les extrémités de la pâte en appuyant légèrement avec le rouleau. Allongez à nouveau la pâte en forme

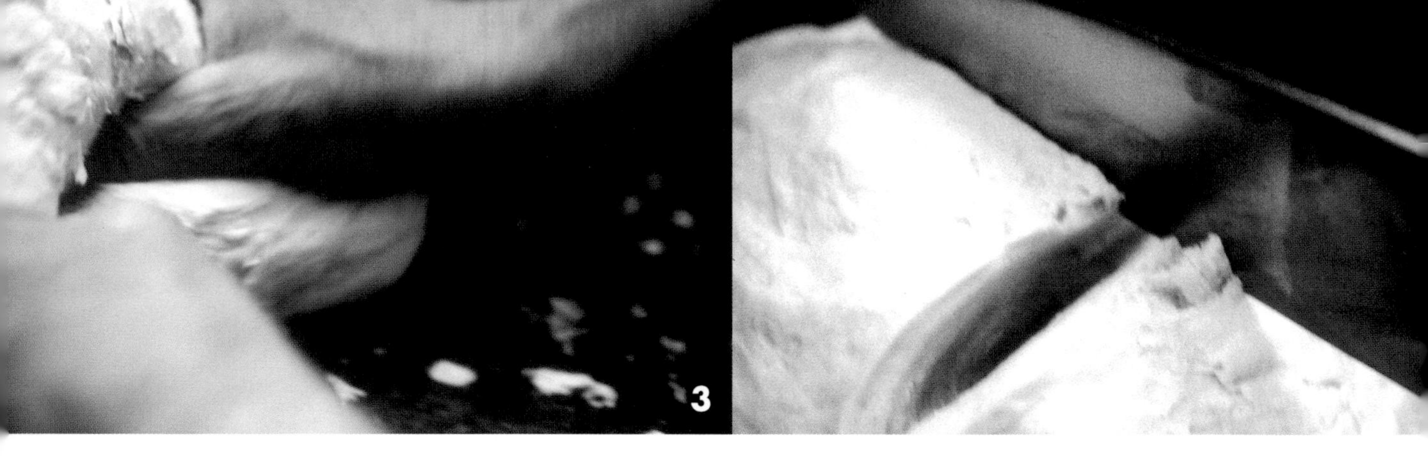

et homogène. Formez une boule, incisez le dessus en croix pour permettre à la pâte de se détendre. Enveloppez-la dans un film alimentaire, réservez-la une demi-heure au réfrigérateur.

• Pendant ce temps, placez le beurre entre deux feuilles de papier sulfurisé. Assouplissez le beurre en tapotant dessus avec le rouleau à pâtisserie. Donnez-lui une forme carrée sur 1 à 1,5 cm d'épaisseur.

• Sortez le pâton du réfrigérateur. Sur le plan de travail fariné, étalez-le en lui donnant une forme carrée qui puisse contenir entièrement le carré de beurre. Déposez le beurre au milieu, puis repliez les bords de la détrempe sur le beurre, sans les faire se superposer mais de manière à l'envelopper complètement.

• Égalisez l'épaisseur de l'enveloppe en appuyant légèrement dessus avec le rouleau.

en treize étapes...

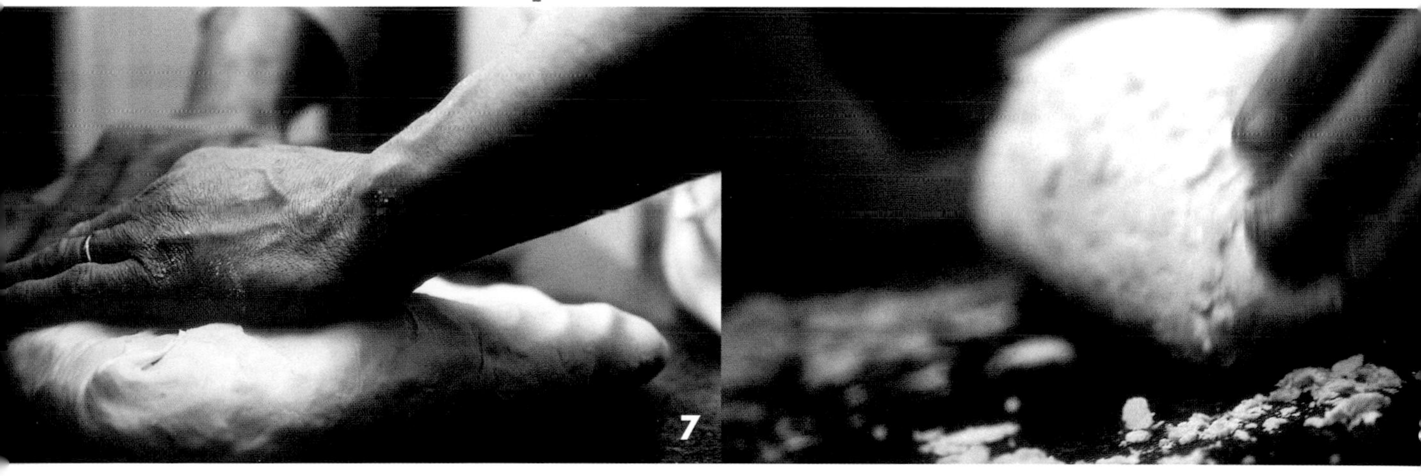

de rectangle vertical, pliez-le en trois : vous venez de donner le deuxième « tour ».

• Enveloppez la pâte dans un film alimentaire et laissez-la se détendre au réfrigérateur au moins 2 heures.

• Au bout de ce temps de repos, donnez le troisième et le quatrième « tour ». Procédez de la même manière que lors des deux premiers tours.

• À ce stade de la préparation, vous pouvez : soit laisser la pâte feuilletée reposer 2 heures au réfrigérateur avant de donner les deux derniers tours ; soit laisser reposer le feuilletage au réfrigérateur toute la nuit. Après un moment de remise à température (trop froide, la pâte risque de se déchirer), donner les deux derniers tours. Cette dernière solution est préférable. Vous pouvez aussi congeler cette pâte feuilletée à 4 tours.

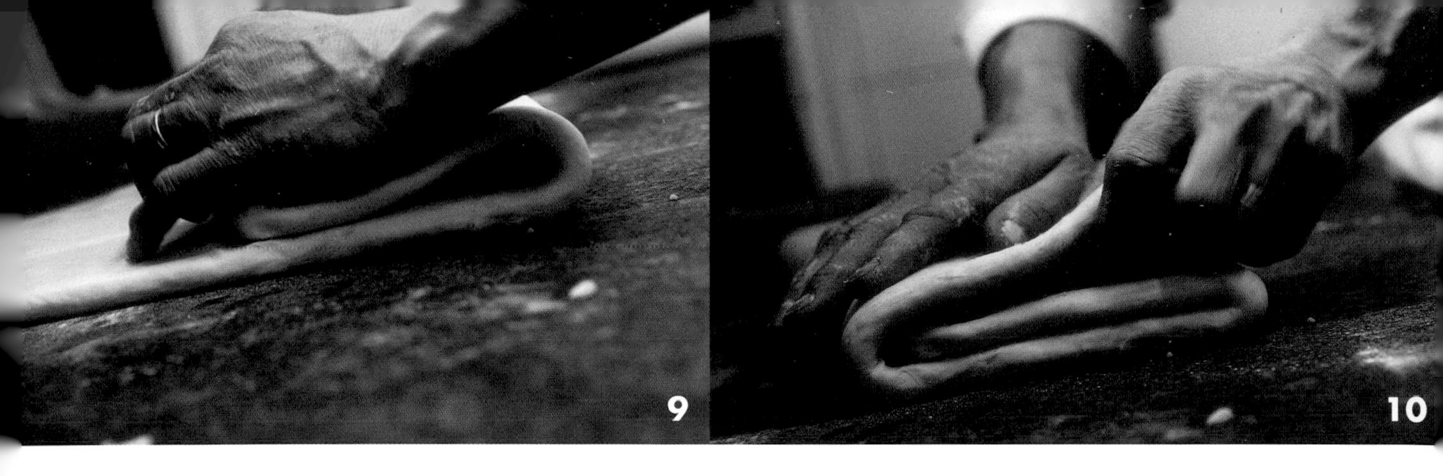

• Dans tous les cas, donnez les deux derniers tours le jour de l'utilisation du feuilletage.

• Votre pâte feuilletée est prête !
Laissez-la reposer encore 2 heures au réfrigérateur avant de lui donner sa forme définitive : tartelettes individuelles, galette des Rois, tarte Tatin, millefeuille, petits fours salés, allumettes sucrées et salées...
Avec 400 g de pâte vous pouvez préparer une tarte pour 6-8 personnes (moule de 24 cm de diamètre) ; 200 g de pâte suffisent pour 3-4 personnes (moule de 18 cm de diamètre); pour des tartelettes individuelles,

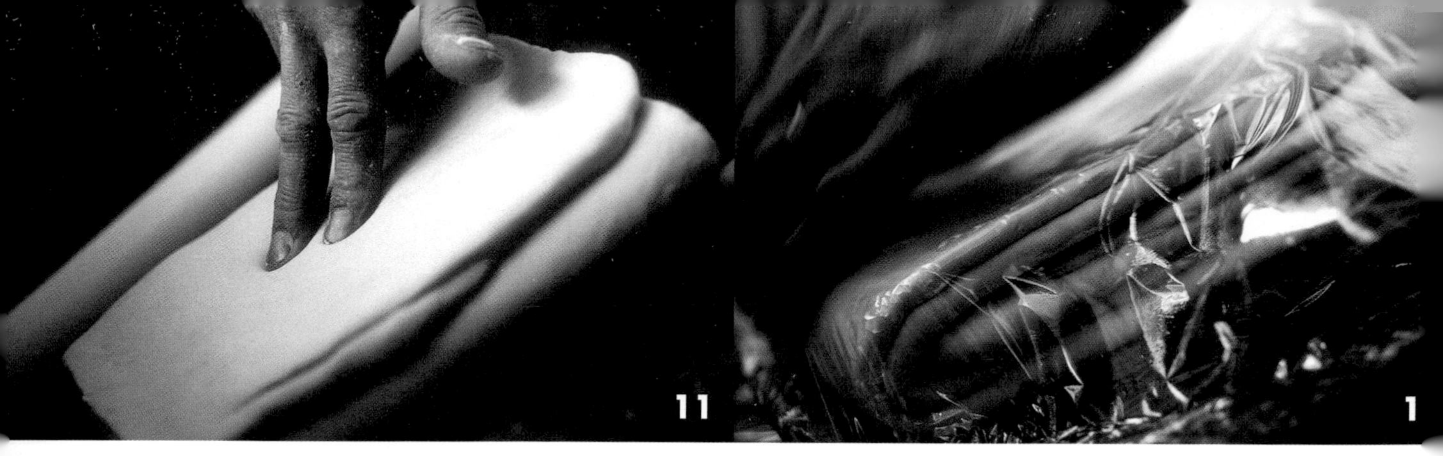

comptez 50 g de pâte par personne.
Secret de pâtissier.
Au moment de son incorporation, le beurre doit avoir la même consistance que la détrempe : il doit pouvoir « glisser » entre les feuillets de pâte sans les déchirer.
Conseils. Respecter les temps de repos de la pâte prévus par la recette, sinon elle risque d'être trop élastique et de se déformer à la cuisson.
Préparer une pâte feuilletée est une opération délicate et longue… si vous n'avez pas le temps, achetez-la chez votre pâtissier !

Pâte sablée
(aux amandes)

Pour 1 kg de pâte sablée aux amandes
Préparation : 15 min
+ 1 h de repos pour la pâte
Ingrédients
500 g de farine
300 g de beurre
à température ambiante
190 g de sucre glace
65 g de poudre d'amandes
2 œufs
1 cuillerée à café de vanille
en poudre
1/2 cuillerée à café de sel

• Sur le plan de travail légèrement fariné, travaillez rapidement le beurre avec le sel et le sucre glace. Incorporez progressivement la poudre d'amandes et la vanille en poudre. Ajoutez les œufs et, à la fin, la farine.

• Écrasez rapidement les ingrédients à pleines mains : la pâte se forme petit à petit. Dès qu'elle ne colle plus au plan de travail, arrêtez de pétrir : si vous la travaillez trop, elle risque de perdre sa friabilité.

• Vous pouvez également préparer cette pâte au robot mixeur, en procédant exactement de la même manière.
Travaillez en première vitesse pour éviter de surchauffer les ingrédients.
Arrêtez de pétrir dès que la pâte se détache des bords de la cuve.

• Formez une boule, enveloppez-la dans un film alimentaire et laissez-la reposer au réfrigérateur au moins 1 heure avant de l'utiliser. Ce temps de repos est nécessaire pour éviter que la pâte ne se rétracte à la cuisson.

• Vous pouvez conserver cette pâte au réfrigérateur 48 heures, ou bien la congeler en plusieurs morceaux. Avec 400 g de pâte vous pouvez préparer une tarte pour 6 à 8 personnes (moule de 24 cm de diamètre) ; 200 g de pâte suffisent pour 3 à 4 personnes (moule de 18 cm de diamètre) ; pour des tartelettes individuelles, comptez 50 g de pâte par personne.

Secret de Gérard Mulot. Cette pâte, au délicat goût d'amande, est parfaite pour préparer des tartes aux fruits (fraises, poires, figues...), des tartes aux agrumes (citron, orange...) et des clafoutis !

Ingrédients
500 g de farine
375 g de beurre
à température ambiante
250 g de vergeoise blanche
2 petits œufs
1/2 cuillerée à café de sel

Pâte sablée vergeoise

Sur le plan de travail (ou dans la cuve d'un robot pétrisseur), travaillez rapidement le beurre avec le sel et la vergeoise.
Incorporez les œufs et, à la fin, la farine.
Dès que la pâte ne colle plus au plan de travail (ou à la cuve du robot), arrêtez de pétrir. Formez une boule, enveloppez-la dans un film alimentaire et laissez-la reposer au réfrigérateur au moins 1 heure avant de l'utiliser.
Cette pâte, plus riche en beurre, est utilisée dans la préparation du biscuit du cannelier (recette p.28), mais peut aussi vous servir à confectionner des petits fours secs et des petits biscuits sablés.

Ingrédients
450 g de farine
300 g de beurre
à température ambiante
190 g de sucre glace
25 g de cacao en poudre
65 g de poudre d'amandes
2 œufs
1 cuillerée à café
de vanille en poudre
1/2 cuillerée à café de sel

Pâte sablée chocolat

Sur le plan de travail (ou dans la cuve d'un robot pétrisseur), travaillez rapidement le beurre avec le sucre glace, le cacao en poudre et le sel. Incorporez la poudre d'amandes et la vanille, puis les œufs et, à la fin, la farine. Dès que la pâte ne colle plus au plan de travail (ou à la cuve du robot), arrêtez de pétrir. Formez une boule, enveloppez-la dans un film alimentaire et laissez-la reposer au réfrigérateur au moins 1 heure avant de l'utiliser. Cette pâte est utilisée dans la préparation de la tarte au chocolat noir (p.98) et de la tarte au chocolat au lait (p.100).

Ingrédients
350 g de farine
250 g de beurre
à température ambiante
7 jaunes d'œufs
250 g de sucre semoule
Zestes de 3 citrons
10 g de levure chimique
1/2 cuillerée à café de sel

Pâte « sablé breton »

Dans un bol, malaxez le beurre jusqu'à obtenir une consistance « pommade ». Dans un petit saladier, fouettez les jaunes d'œuf avec le sucre et les zestes de citron jusqu'à ce que le mélange blanchisse. Incorporez le beurre et le sel, puis la farine et la levure chimique. Arrêtez de pétrir dès que la pâte est homogène. Formez une boule, enveloppez-la dans un film alimentaire et laissez-la reposer au réfrigérateur au moins 1 heure avant de l'utiliser. Cette pâte est utilisée dans la préparation des tartelettes fraises et mangues (p.79), mais peut aussi vous servir à confectionner des tartes à base de fruits rouges (tout simplement posés sur un tapis de crème pâtissière) et… des galettes bretonnes !

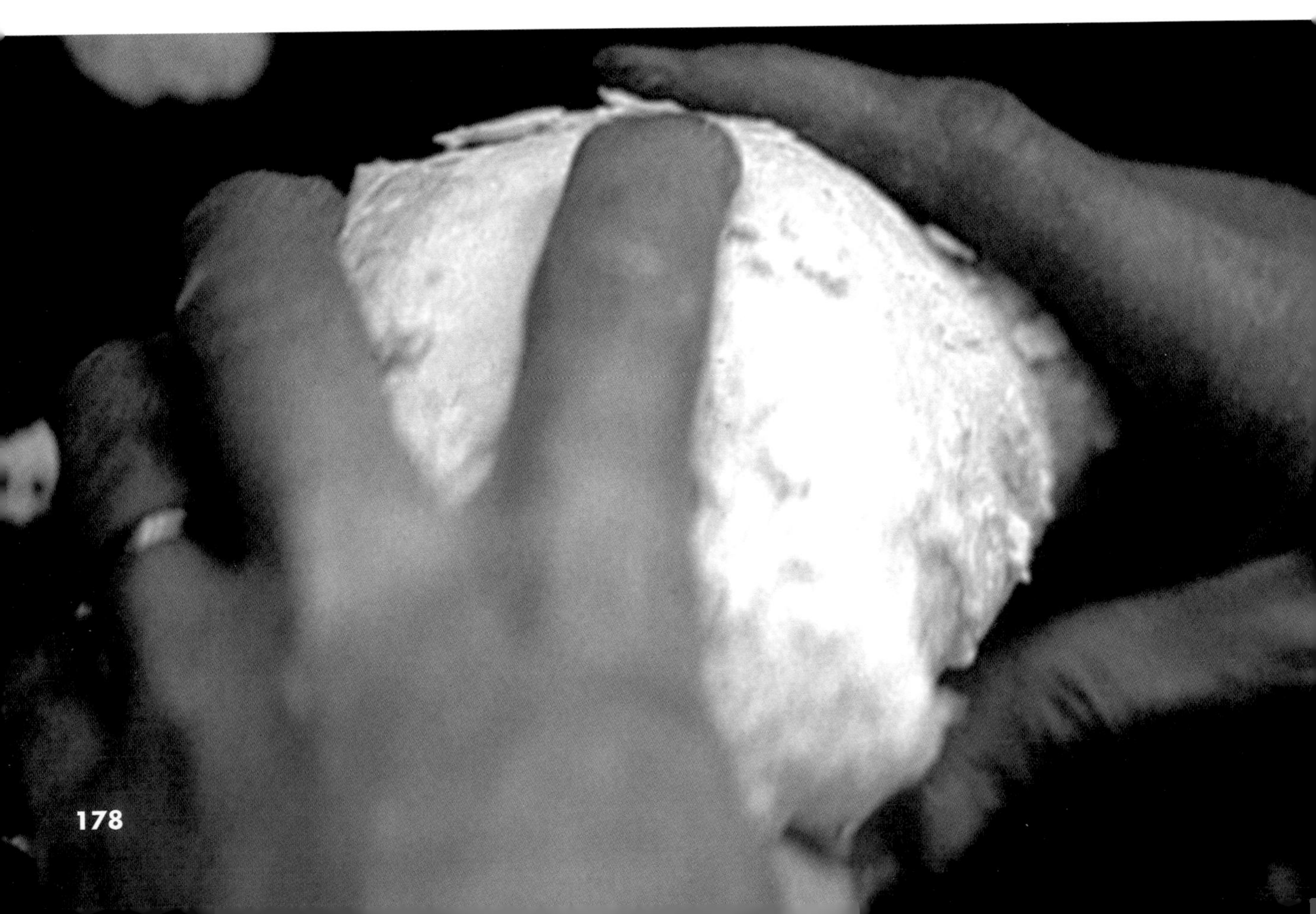

Pâte à quiche

Pour 1 kg de pâte à quiche
Préparation : 15 min
+ 1 h de repos au réfrigérateur
Ingrédients
400 g de farine
130 g de fécule de pomme de terre
230 g de beurre à température ambiante
1 cuillerée à café rase de sel
7 jaunes d'œufs
10 cl d'eau

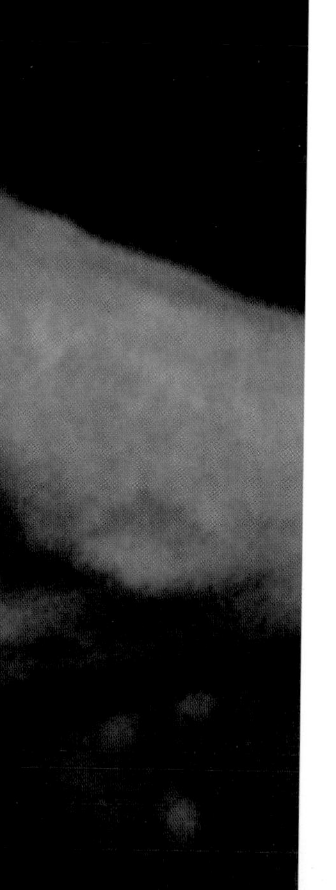

• Préparez cette pâte par « sablage ».
Sur le plan de travail (ou dans un grand saladier), mélangez grossièrement la farine, la fécule de pomme de terre, le sel et le beurre coupé en petits morceaux.
Frottez les ingrédients entre vos mains, sans les chauffer ni pétrir, de manière à enrober de farine tous les petits morceaux de beurre.
Vous venez de faire un sablage : le résultat est ce « gros sable » qui se trouve sur votre plan de travail !

• Disposez-le en fontaine. Au milieu, mélangez les jaunes d'œufs et l'eau. Incorporez rapidement le gros sable, écrasez la pâte à pleines mains. Dès qu'elle ne colle plus au plan de travail, arrêtez de pétrir : si vous la travaillez trop, la pâte risque de perdre sa friabilité.

• Vous pouvez également préparer cette pâte au robot mixeur.
Mettez la farine, la fécule de pomme de terre, le sel et le beurre coupé en petits morceaux dans la cuve du robot. Travaillez en première vitesse jusqu'à obtention du sablage. Arrêtez le robot et versez, en une seule fois, le mélange eau et jaunes d'œufs. Travaillez jusqu'à ce que la pâte se détache des bords de la cuve.

• Formez une boule, enveloppez-la dans un film alimentaire et laissez-la reposer au réfrigérateur au moins 1 heure avant de l'utiliser. Ce temps de repos est nécessaire pour éviter que la pâte ne se rétracte à la cuisson.

• Vous pouvez conserver cette pâte au réfrigérateur 48 heures, ou bien la congeler en plusieurs morceaux. Avec 450 g de pâte vous pouvez préparer une tourte pour 6 à 8 personnes (moule de 24 cm de diamètre) ; 250 g de pâte suffisent pour 3 à 4 personnes (moule de 18 cm de diamètre) ; pour des quiches individuelles, comptez 60 g de pâte par personne.

Conseil. Cette pâte est parfaite pour préparer des tourtes, des quiches et des petits fours salés.

Génoise
(aux amandes)

Pour 500 g de génoise
Préparation : 15 min
Cuisson : 20-25 min
Matériel
1 batteur électrique
Ingrédients
65 g de pâte d'amandes
(à 50 % d'amandes)
85 g de sucre glace
4 œufs
115 g de farine

- Préchauffez le four à 180 °C, préparez un bain-marie frémissant.

- Dans un saladier, avec le batteur électrique en première vitesse (ou au fouet), travaillez la pâte d'amandes avec le sucre. Ajoutez les œufs progressivement. S'il reste des grumeaux, mixez la préparation pour les éliminer. Mettez le saladier dans le bain-marie et passez le batteur en vitesse moyenne pour incorporer le maximum d'air. Fouettez jusqu'à obtenir une pâte souple et crémeuse (5-6 minutes).
À la spatule, incorporez progressivement la farine en soulevant délicatement la pâte d'un mouvement circulaire. Arrêtez de mélanger dès que la pâte retrouve sa texture souple et lisse.

- Faites cuire aussitôt, dans un moule beurré et fariné choisi en fonction de votre recette. Elle est idéale pour confectionner un fraisier (p.54) ou une bûche (p.156).

Secret de pâtissier. Démoulez la génoise dès la sortie du four, pour éviter que la condensation ne la fasse ramollir.
Conseil. La génoise ne doit pas être trop colorée : elle doit rester blonde, et sa consistance doit être souple et légèrement élastique.

Les ustensiles

1 indispensable gousse de vanille !
2 sucrière
3 petits moules à tarte
4 bol à farine
5 moules à coco chocolat
6 fouet
7 collection de fourchettes à chocolat
8 poche à douille
9 thermomètre
10 couteau bien aiguisé et spatule en bois
11 torchons de lin
12 plaques de four pour les macarons

1

2
3
6
7

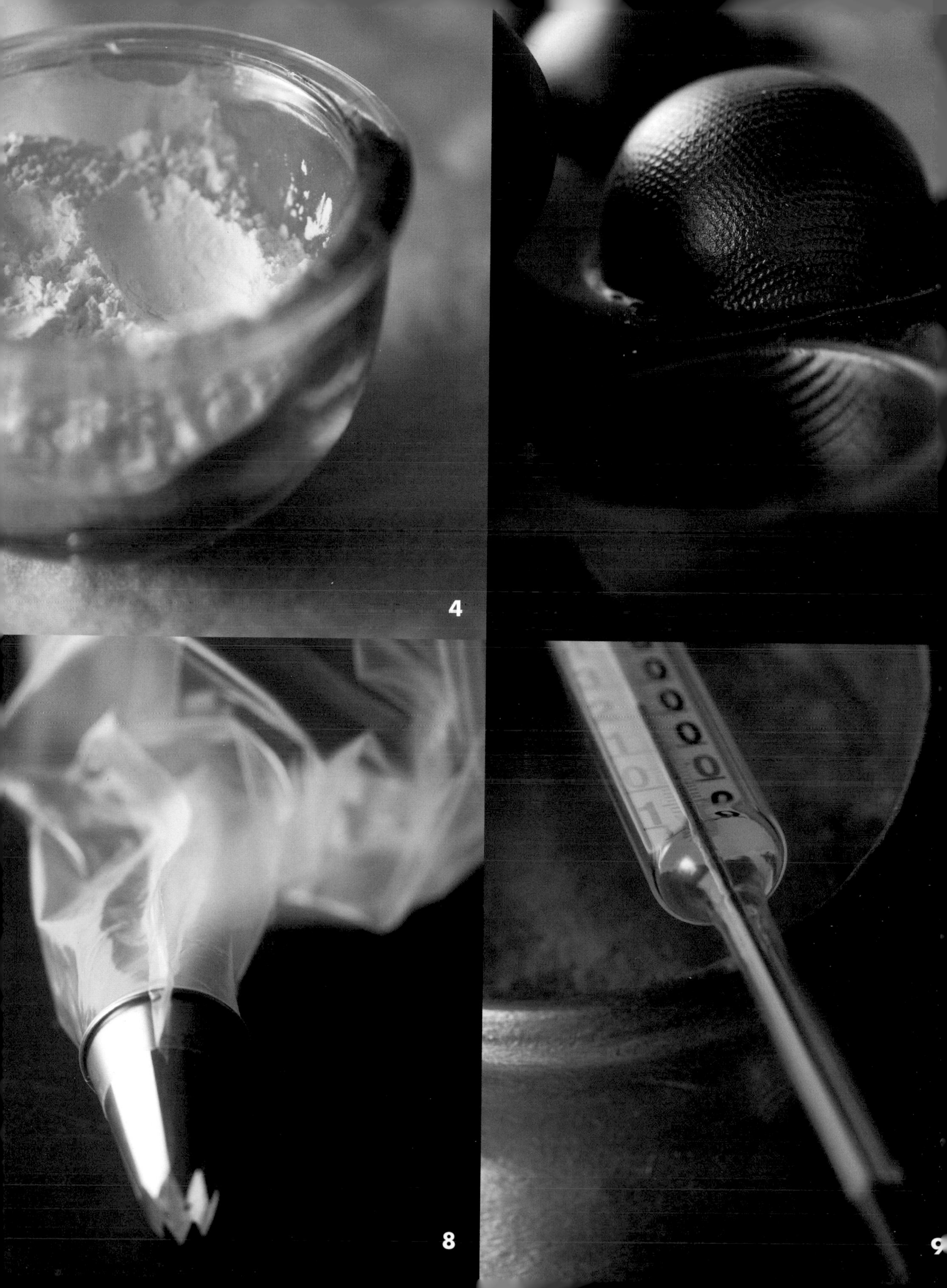
4
8
9

Merci à Massimiliano. Il a su accompagner ce projet
avec intelligence et générosité.

Merci à Sylvie et Barbara de m'avoir fait confiance,
mais aussi de m'avoir fait rencontrer Laurence et Béatrice.

Merci à Laurence et à Béatrice pour la beauté
de leur regard.

Et merci enfin au dieu de la gourmandise qui, il y a 15 ans,
a dirigé mes pas vers le 76 de la rue de Seine.

Je dédie ce livre à mes neveux Dario, Aurélien, Sabrina
et Raphaël : l'enfance est l'âge heureux de l'apprentissage de
la gourmandise.

Alba Pezone

Merci à Alba Pezone pour la détermination, l'énergie et la compétence dont elle a fait preuve pendant tout le temps de la réalisation de ce livre. Sans elle, il ne serait encore qu'à l'état de projet.

Je remercie sincèrement mes pâtissiers pour leur enthousiasme dans la préparation des recettes : Jean-Michel Benault, Patrick Leclerc, Clément Delomier, Mathieu Lacroix et Jeremy Grovallet, ainsi que mes cuisiniers : Olivier Virfeur et Frédéric Delsard.

Je remercie Sylvie Désormière et Barbara Sabatier d'avoir choisi une photographe, Laurence Mouton, et une styliste, Béatrice Canard Patrat, de grand talent.

Merci à ma famille, que j'ai beaucoup accaparée pendant la réalisation du livre.

Merci aussi à tous ceux que j'ai oublié de citer.

Gérard Mulot

Photogravure Quadrilaser à Ormes
Achevé d'imprimer en septembre 2004
sur les presses de l'imprimerie Graphicom à Vérone
Dépôt légal : octobre 2004
Imprimé en Italie